D0716574

U.G.E. **10 18**
12, avenue d'Italie — Paris XIIIe

L'INIMITABLE JEEVES

PAR

P.G. WODEHOUSE

Traduit de l'anglais
par Jean-Pierre Aoustin

INÉDIT

« *Domaine étranger* »
dirigé par Jean-Claude Zylberstein

Si vous désirez être régulièrement tenu au courant
de nos publications, écrivez-nous :
Éditions 10/18
12, avenue d'Italie
75627 Paris Cedex 13

Titre original :
The Inimitable Jeeves

1

JEEVES SE REMUE LES VIEILLES MÉNINGES

— Bonjour, Jeeves.

— Bonjour, Monsieur.

Jeeves posa doucement la bonne vieille tasse de thé sur ma table de chevet, et je bus une gorgée revigorante. Le thé, comme d'habitude, était parfait. Pas trop chaud, ni trop sucré, ni trop léger, ni trop fort, pas trop de lait, et pas une goutte de renversée dans la soucoupe. Un type vraiment épatant, ce Jeeves. Si fichtrement compétent à tout point de vue. Je ne me lasse pas de le répéter. Tenez, un exemple entre mille. La plupart des valets que j'ai eus à mon service faisaient irruption dans ma chambre le matin alors que je dormais encore, ce qui était extrêmement pénible ; tandis que Jeeves semble deviner par une sorte de télépathie quand je suis réveillé. Il entre toujours, à sa manière aérienne, avec son plateau, exactement deux minutes après mon retour à la vie consciente. Ça fait une sacrée différence dans la journée d'un quidam.

— Quel temps fait-il, Jeeves ?

— Exceptionnellement clément, Monsieur.

— Quelque chose dans le journal ?

— On parle de légers troubles dans les Balkans, Monsieur. Sinon, rien.

— Dites donc, Jeeves, quelqu'un m'a conseillé hier soir au club de parier ma dernière chemise sur Corsaire dans la deuxième cet après-midi. Qu'en pensez-vous?

— Je ne le recommanderais pas à Monsieur. Son écurie n'est pas optimiste.

Ça me suffisait. Jeeves sait. Comment? je ne pourrais le dire, mais il sait. Il y eut une époque où je riais avec insouciance, pariais contre son avis et perdais mon petit pécule. Mais ce temps était passé.

— A propos de chemises, dis-je, est-ce que les mauves dont j'ai passé commande sont arrivées?

— Oui, Monsieur. Je les ai retournées.

— Retournées?

— Oui, Monsieur. Elles ne seraient pas allées à Monsieur.

Je ne vous cache pas que ces chemises m'avaient plutôt tapé dans l'œil, mais je m'inclinai devant une science supérieure. Faiblesse? Je ne sais pas. Sans doute la plupart des gens préfèrent-ils que leur valet se contente de repasser leurs pantalons et ainsi de suite sans chercher à diriger la maisonnée; mais avec Jeeves, c'est différent. Dès le premier jour où il est entré chez moi, je l'ai considéré comme une sorte de guide, de philosophe et d'ami.

— M. Little a téléphoné il y a quelques instants, Monsieur. Je lui ai répondu que Monsieur n'était pas encore réveillé.

— Est-ce qu'il a laissé un message?

— Non, Monsieur. Il a parlé d'une question importante dont il désirait s'entretenir avec Monsieur, mais il ne m'a confié aucun détail.

— Oh! bon, je suppose que je le verrai au club.

— Certainement, Monsieur.

On ne peut pas dire que j'étais fébrilement impatient de le rencontrer. Bingo Little est un gars que je connais depuis l'école, et nous nous voyons encore assez souvent. C'est le neveu du vieux Mortimer Little, qui s'est retiré des affaires il n'y a pas très longtemps avec un bon petit magot. (Vous avez sûrement entendu parler de « L'Onguent Little, l'Ami de vos Lombes ».) Bingo vit sa vie à Londres grâce à une assez confortable mensualité que lui octroie son oncle, et son existence y est généralement sans nuages. Il était peu probable que ce qu'il décrivait comme une « question importante » se révélât en fait si crucialement important. Je présumai qu'il avait découvert une nouvelle marque de cigarettes qu'il voulait me voir essayer, ou quelque chose du même genre, aussi ne me gâchai-je point le petit déjeuner en me faisant de la bile.

La dernière bouchée avalée, j'allumai une cigarette et me dirigeai vers la fenêtre ouverte pour m'assurer du temps. Pas de doute, c'était une journée absolument splendide.

— Jeeves, dis-je.

— Monsieur ? dit Jeeves, qui était sur le point de remporter le plateau, mais qui, entendant la voix du jeune maître, se figea courtoisement.

— Vous aviez tout à fait raison à propos du temps. C'est une matinée superbe.

— En effet, Monsieur.

— Printanière et tout.

— Oui, Monsieur.

— Au printemps, Jeeves, « la colombe de bronze a un iris plus clair ».

— C'est ce qu'on m'a dit, Monsieur.

— Parfait ! Alors apportez-moi ma canne en bambou, mes gants les plus jaunes et mon vieux feutre vert. Je vais dans le Parc exécuter des danses pastorales.

Je ne sais pas si vous connaissez ce genre de sensation qu'on éprouve à cette époque de l'année, fin avril, début mai, quand le ciel est bleu clair, parsemé de nuages cotonneux, et qu'une légère brise souffle de l'ouest? Une sorte d'exaltation spirituelle. Un sentiment romantique, si vous voyez ce que je veux dire. Je ne suis pas ce qu'on appelle un coureur de jupons, mais ce matin-là il me semblait que j'aurais vraiment apprécié qu'une charmante jeune fille se précipitât dans mes bras pour me demander de la sauver d'une bande d'assassins ou quelque chose comme ça. De sorte que je fus quelque peu désappointé de ne rencontrer que le jeune Bingo Little, qui arborait grotesquement une cravate framboise en satin décorée de fers à cheval.

— Salut, Bertie, dit Bingo.

— Nom d'un chien! fis-je, interloqué. La cravate! Ce machin, là! Pourquoi? Pour quelle raison...

— Oh! la cravate? dit-il en piquant un fard. Je... euh... c'est un cadeau.

Il paraissait gêné, alors je n'insistai pas. Nous fîmes quelques pas, puis nous assîmes sur des chaises près de la Serpentine.

— Jeeves m'a dit que tu voulais me parler de quelque chose.

— Hein? fit Bingo en sursautant. Oh! oui, oui. Oui.

J'attendis que le sujet à l'ordre du jour fût abordé, mais rien ne vint. La conversation languissait. Bingo regardait fixement droit devant lui, l'air absent.

— Dis donc, Bertie, articula-t-il après une pause d'environ une heure et quart.

10

— Hein!

— Ça te plaît, Mabel, comme prénom?

— Non.

— Non?

— Non.

— Tu ne trouves pas qu'il y a dans ces syllabes une sorte de musique évoquant le doux murmure du vent dans les branches?

— Non.

Il parut déçu, puis, au bout d'un moment, son visage s'éclaira.

— C'est normal. Tu as toujours été un crétin minable et sans cœur, non?

— Comme tu dis. Qui est-ce? Raconte-moi tout.

Car je comprenais à présent que ce pauvre vieux Bingo était à nouveau la cible de Cupidon. Depuis que je le connais — et nous étions à l'école ensemble —, il n'a pas cessé de tomber amoureux, généralement au printemps, saison qui semble agir sur lui comme par magie. Au collège il avait une plus belle collection de photos d'actrices que quiconque à l'époque; et à Oxford sa nature romantique était devenue légendaire.

— Ce serait aussi bien que tu fasses sa connaissance pendant le déjeuner, dit-il en regardant sa montre.

— Excellente idée, répondis-je. Où as-tu rendez-vous? Au *Ritz*?

— Près du *Ritz*.

C'était géographiquement exact. A environ cinquante mètres à l'est du *Ritz*, se trouve un de ces fichus snack-bars qu'on voit partout à Londres, et c'est là, croyez-moi si vous voulez, que le jeune Bingo s'engouffra comme un lapin dans son terrier. Je n'avais pas eu le temps de dire ouf que nous étions déjà coincés contre un rebord de table, assis devant

11

une muette flaque de café laissée là par un prédécesseur.

Je dois dire que le scénario m'échappait quelque peu. Bien que Bingo ne soit pas à proprement parler plein aux as, il n'a jamais été sur la paille. Outre ce qu'il devait toujours recevoir de son oncle, je savais que le bilan de sa dernière saison hippique avait été largement positif. Pourquoi donc avoir invité cette fille à déjeuner dans cette malheureuse cafétéria ? Ça ne pouvait pas être parce qu'il était fauché.

Puis la serveuse approcha. Une fille assez jolie.

— Est-ce qu'on ne va pas attendre... voulus-je demander à Bingo, trouvant un peu fort qu'en plus d'avoir invité une fille dans un endroit pareil, il se jette ainsi sur la boustifaille avant même qu'elle n'arrive.

Mais je vis l'expression sur son visage et m'arrêtai.

Les yeux en billes de loto, la bobine tout entière richement empourprée, le gars ressemblait à une *Résurrection* peinte en rose.

— Bonjour, Mabel ! lança-t-il, s'étranglant à demi.

— Bonjour, répondit la fille.

— Mabel, continua Bingo, voici Bertie Wooster, un copain.

— Enchantée. Belle journée.

— Superbe, dis-je.

— Je porte la cravate, tu vois, fit remarquer Bingo.

— Elle te va à merveille, déclara la fille.

Personnellement, si quelqu'un m'avait dit qu'une pareille cravate m'allait bien, je me serais levé et lui aurais donné un bon coup sur le citron, sans égard pour son âge ou son sexe ; mais ce pauvre vieux Bingo se tortilla simplement de plaisir, et sourit de son air le plus béat et le plus révoltant.

— Qu'est-ce que ce sera aujourd'hui ? demanda la

fille, introduisant l'élément commercial dans la conversation.

Bingo examina la carte avec dévotion.

— Pour moi ce sera une tasse de chocolat, du veau froid, un peu de pizza au jambon, une tranche de cake, et un macaron. Même chose pour toi, Bertie?

Je le regardai, indigné. Qu'il pût, après toutes ces années d'amitié, me croire capable d'insulter le vieil estomac avec ce genre de frichti, voilà qui me piquait au vif.

— Ou alors, un hamburger, avec un Pepsi pour le faire descendre? demanda Bingo.

Vous savez, c'est vraiment effrayant, la façon dont l'amour peut transformer un type. Ce garçon devant moi, qui parlait avec une aussi formidable désinvolture de macarons et de Pepsi, était celui-là même qu'en des jours meilleurs j'avais vu expliquer en détail au maître d'hôtel du *Claridge* comment il voulait que le chef préparât la *sole frite du gourmet aux champignons*, en ajoutant qu'il la renverrait illico si elle n'était pas conforme à ses désirs. Affreux, affreux!

Un petit pain avec du beurre et un café me semblèrent être les seuls articles qui n'eussent pas été spécialement préparés par les membres les plus malveillants de la famille Borgia à l'intention de ceux contre qui ils avaient une dent; je choisis donc ces mets simples, et Mabel se trotta.

— Alors? fit Bingo avec ravissement.

Je présumai qu'il voulait mon avis sur l'empoisonneuse qui venait de nous quitter.

— Très chouette, dis-je.

Ma réponse ne parut pas le satisfaire.

— Tu ne penses pas que c'est la fille la plus merveilleuse que tu aies jamais vue? demanda-t-il sur un ton mélancolique.

— Oh! si, absolument! affirmai-je pour tranquilli-
ser le pauvre bougre. Où l'as-tu rencontrée?

— A un bal populaire à Camberwell.

— Que diable faisais-tu à un bal populaire à Camberwell?

— Ton valet, Jeeves, m'a demandé si je voulais
acheter deux ou trois tickets. C'était au bénéfice de je
ne sais quelle œuvre de bienfaisance.

— Jeeves? J'ignorais qu'il s'intéressait à ce genre
de chose.

— Bah, il faut bien qu'il se détende un peu de
temps en temps, je suppose. En tout cas il y était, et il
dansait rudement bien. Je n'avais pas eu l'intention de
m'y rendre, mais finalement j'y suis allé pour rigoler
un coup. Oh! Bertie, pense à ce que j'aurais pu
manquer!

— Qu'est-ce que tu aurais pu manquer? demandai-je — la vieille cervelle étant quelque peu embru-
mée.

— Mabel, espèce d'idiot! Si je n'étais pas allé
là-bas, je n'aurais jamais rencontré Mabel.

— Oh! ah!

Bingo tomba alors dans une sorte de transe, et n'en
sortit que pour se mettre à dévorer la pizza et le
macaron.

— Bertie, dit-il, j'ai besoin d'un conseil.

— J'écoute.

— Enfin, pas un de *tes* conseils, parce que je ne vois
pas à qui ça pourrait servir. Après tout, tu es quand
même une sacrée vieille cruche, n'est-ce pas? Cela dit
sans vouloir te vexer, bien sûr.

— Non, non, je comprends.

— Ce que je voudrais que tu fasses, c'est que tu
expliques la situation à ce Jeeves pour voir ce qu'il

14

suggérerait. Tu m'as souvent dit qu'il avait contribué à tirer du pétrin d'autres copains à toi. D'après ce que tu me racontes, c'est en quelque sorte le cerveau de la famille.

— Il ne m'a encore jamais déçu.

— Alors explique-lui mon cas.

— Quel cas ?

— Mon problème.

— Quel problème ?

— Mais mon oncle, naturellement, pauvre benêt ! Comment crois-tu qu'il va réagir ? Si je lui sors ça tout net, il va se mettre à grimper aux rideaux !

— Il est du genre émotif, hein ?

— Il faut que d'une façon ou d'une autre il soit préparé à recevoir la nouvelle. Mais comment ?

— Ha !

— Ça nous avance bien, ce « Ha » ! Tu comprends, je dépends pas mal du vieux. S'il me coupait les vivres, je serais vraiment dans de beaux draps. Alors raconte toute l'histoire à Jeeves et voyons s'il n'arrive pas à lui trouver un heureux dénouement. Dis-lui que mon avenir est entre ses mains, et que si la marche nuptiale retentit pour moi, la moitié de mon royaume est à lui. Enfin, disons dix livres. Jeeves se remuerait les méninges avec dix livres à la clef, j'imagine ?

— Sans aucun doute, dis-je.

Je n'étais pas surpris le moins du monde que Bingo veuille mêler ainsi Jeeves à ses affaires personnelles. C'est la première chose que j'aurais pensé à faire moi-même si j'avais été dans un quelconque mauvais pas. Comme j'ai eu maintes fois l'occasion de le constater, c'est un garçon extrêmement intelligent, plein d'idées brillantes. Si quelqu'un pouvait arranger les choses pour ce pauvre vieux Bingo, c'était bien lui.

15

Je lui exposai la situation le soir même, après le dîner.

— Jeeves.

— Monsieur ?

— Êtes-vous occupé en ce moment ?

— Non, Monsieur.

— Je veux dire, vous n'avez rien de particulier à faire ?

— Non, Monsieur. J'ai coutume, à cette heure de la journée, de lire quelque livre instructif ; mais si Monsieur a besoin de mes services, cela peut facilement être remis à plus tard, voire complètement abandonné.

— Eh bien, il me faut votre avis. C'est au sujet de M. Little.

— Le jeune M. Little, Monsieur, ou M. Little aîné, son oncle, qui habite à Pounceby Gardens ?

Jeeves semble tout savoir. Incroyable. Bingo et moi sommes copains depuis presque toujours, et pourtant je ne me rappelle pas l'avoir entendu dire que son oncle vivait dans un endroit particulier...

— Comment savez-vous qu'il habite là-bas ? demandai-je.

— Je suis en assez bons termes avec la cuisinière de M. Little aîné, Monsieur. En fait, il existe un... arrangement.

J'avoue que je fus plutôt étonné. Je ne sais pourquoi, mais je n'aurais jamais pensé que Jeeves s'intéressât à ce genre de chose.

— Vous voulez dire que vous êtes fiancés ?

— C'est à peu près ce dont il s'agit, Monsieur.

— Tiens donc !

— C'est une cuisinière absolument remarquable, Monsieur, dit Jeeves — comme s'il se sentait tenu de

16

donner une explication. Qu'est-ce que Monsieur désirait me demander au sujet de M. Little?

Je lui fournis tous les détails nécessaires.

— Et voilà où nous en sommes, Jeeves, conclus-je. Je crois que nous devrions nous secouer un brin pour aider ce pauvre vieux Bingo à se sortir de là. Parlez-moi de M. Little aîné. Quelle sorte d'homme est-ce?

— C'est un assez curieux personnage, Monsieur. Depuis qu'il s'est retiré des affaires, il vit à l'écart de tout, et se consacre désormais presque exclusivement aux plaisirs de la table.

— Un vrai porc, vous voulez dire?

— Je ne me serais sans doute pas permis de le décrire en ces termes, Monsieur. C'est ce qu'on appelle ordinairement un gourmet. Il est très exigeant sur la nourriture, et c'est pourquoi il apprécie tant les services de Mlle Watson.

— La cuisinière?

— Oui, Monsieur.

— Eh bien, il me semble que la meilleure solution serait que le jeune Bingo lui déballe toute l'histoire un soir après dîner. Humeur conciliante et ainsi de suite, vous voyez ce que je veux dire.

— Le problème, Monsieur, c'est que pour le moment M. Little est au régime, à cause d'une attaque de goutte.

— Les choses se présentent mal.

— Non, Monsieur, je pense que l'indisposition de M. Little aîné pourrait être tournée à l'avantage du jeune M. Little. Je parlais justement l'autre jour avec le valet de M. Little, et il me disait que sa tâche principale était maintenant de faire la lecture à M. Little tous les soirs. Si j'étais à la place de Monsieur, j'enverrais le jeune M. Little faire la lecture à son oncle.

— Dévouement familial, hein? Le vieil homme touché par un acte généreux, c'est ça?

— En partie, Monsieur. Mais je compterais plutôt sur le choix de livres que ferait le jeune M. Little.

— N'y songez pas. Ce brave Bingo est bien gentil, mais en matière de littérature il s'arrête à la gazette des sports.

— Cette difficulté n'est pas insurmontable. Je me ferais un plaisir de choisir les livres que M. Little lirait. Peut-être devrais-je m'expliquer un peu plus clairement?

— Je ne vois pas très bien où vous voulez en venir.

— La méthode que je préconiserais, Monsieur, est celle que les publicitaires appellent, je crois, « suggestion directe », car elle consiste à introduire quelque chose dans la tête des gens à force de répétition. Peut-être Monsieur en a-t-il fait l'expérience?

— C'est-à-dire qu'on vous serine que telle ou telle savonnette est la meilleure jusqu'à ce que vous soyez comme hypnotisé et fonciez à l'épicerie du coin pour en acheter une?

— Exactement, Monsieur. C'est cette même méthode qui a servi de base aux propagandes les plus efficaces pendant la dernière guerre. Je ne vois pas pourquoi on ne pourrait pas l'adopter pour obtenir le résultat escompté, eu égard aux idées du sujet sur les distinctions de classes. Si le jeune M. Little lisait jour après jour à son oncle une série de récits dans lesquels le mariage avec des jeunes personnes de condition sociale inférieure est considéré comme à la fois réalisable et estimable, je pense que cela préparerait M. Little aîné à l'annonce de la nouvelle que son neveu souhaite épouser une serveuse de snack-bar.

— Est-ce que ce genre de bouquin existe encore de

18

nos jours? On ne parle dans les journaux que de livres où il est question de gens mariés trouvant leur vie monotone et ne pouvant absolument plus se sentir.

— Oui, Monsieur, il y en a beaucoup, dédaignés par les critiques, mais très lus. Monsieur n'a jamais eu entre les mains *Tout pour l'Amour*, de Rosie M. Banks?

— Non.

— Ni *La Rose rouge de l'été*, du même auteur?

— Non.

— J'ai une tante, Monsieur, qui possède la collection presque complète des œuvres de Rosie M. Banks. Il me serait facile d'emprunter autant de volumes que M. Little en aurait besoin. C'est une lecture divertissante.

— Eh bien, ça vaut la peine d'essayer.

— Je crois pouvoir recommander ce plan à Monsieur.

— Alors, c'est décidé. Allez voir votre tante demain et rapportez deux ou trois des romans les mieux tournés. On peut toujours tenter le coup.

— Absolument, Monsieur.

2

PAS DE MARCHE NUPTIALE POUR BINGO

Bingo vint me dire trois jours plus tard que Rosie M. Banks faisait parfaitement l'affaire, et que c'était sans conteste ce qu'il fallait dans un cas comme celui-là. Le vieux Little avait d'abord quelque peu renâclé devant cette modification de ses habitudes littéraires, car il ne prisait guère la fiction romanesque et s'en était tenu jusque-là exclusivement aux revues mensuelles les plus sérieuses ; mais Bingo avait trompé sa méfiance en lui lisant le premier chapitre de *Tout pour l'Amour* avant même qu'il se rendît compte de ce qui lui arrivait, et après cela tout avait marché comme sur des roulettes. Depuis, ils avaient fini *La Rose rouge de l'été, Tête de linotte* et *Une simple ouvrière*, et ils en étaient à la moitié des *Fiançailles de Lord Strathmorlick*.

Bingo me raconta tout cela d'une voix enrouée, en buvant un verre de xérès dans lequel on avait battu un œuf. Le seul inconvénient de l'entreprise, à son avis, était que cela ne valait rien pour les vieilles cordes vocales, qui commençaient à montrer des signes de fatigue. Il avait consulté un dictionnaire médical et pensait qu'il souffrait de l'« aphonie du prédicateur ». Mais cela était largement compensé par les incontestables progrès qu'il était en train de réaliser, et aussi par le fait qu'il restait toujours à dîner après la lecture du soir ; et d'après ce qu'il me disait des dîners préparés par la cuisinière du vieux Little, il fallait y goûter pour y croire. Il avait les larmes aux yeux en évoquant le potage. J'imagine que pour un type qui se farcissait des macarons et du Pepsi depuis des semaines, c'était le paradis.

Le vieux Little ne pouvait pas prendre une part active à ces banquets, mais Bingo disait qu'il venait à table pour manger sa ration d'*arrow-root*[1], et renifler les plats, et parler des *entrées*[2] qu'il avait eues dans le passé, et esquisser des scénarios où il était question du sort qu'il réservait au menu à l'avenir, quand son médecin l'aurait remis sur pied ; je suppose donc qu'il y prenait aussi plaisir à sa façon. Quoi qu'il en soit, tout semblait marcher à merveille, et Bingo ajouta qu'il avait eu une idée qui, pensait-il, allait emporter le morceau. Il ne voulait pas me dire de quoi il s'agissait, mais selon lui c'était du nanan.

— Nous avançons, Jeeves, dis-je.

— J'en suis heureux, Monsieur.

— M. Little me dit que quand il en est venu à la grande scène d'*Une simple ouvrière*, la gorge de son oncle s'est serrée comme le gosier d'un chiot battu.

— Vraiment, Monsieur ?

— Là où Lord Claude prend la jeune fille dans ses bras, vous savez, et dit...

— Je connais bien ce passage, Monsieur. Il est particulièrement émouvant. Ma tante l'a toujours beaucoup aimé.

— Je crois qu'on est sur la bonne voie.

— En effet, Monsieur.

1. Sorte de féculent. (*N.d.T.*)
2. En français dans le texte. (*N.d.T.*)

— Force est de convenir que vous avez à nouveau réussi. J'ai toujours dit, et je dirai toujours, que pour ce qui est de la matière grise, Jeeves, vous ne craignez personne. Tous les autres grands penseurs de ce siècle ne sont que des amateurs à côté de vous.

— Merci beaucoup, Monsieur. Je m'efforce de donner satisfaction.

Environ une semaine plus tard, Bingo entra en trombe pour m'annoncer que la goutte de son oncle avait cessé de le tourmenter, et que dès le lendemain il se remettrait de plus belle à jouer du couteau et de la fourchette.

— A propos, ajouta Bingo, il veut que tu déjeunes avec lui demain.

— Moi? Pourquoi moi? Il ne sait même pas que j'existe.

— Oh! si. Je lui ai parlé de toi.

— Qu'est-ce que tu lui as dit?

— Oh! différentes choses. En tout cas, il désire te rencontrer. Et un conseil, mon gars — vas-y! A mon avis, ce déjeuner va être quelque chose de tout à fait spécial.

Je ne sais pourquoi, mais à ce moment déjà je fus frappé par ce que les manières de Bingo avaient d'étrange et de presque sinistre, si vous voyez ce que je veux dire. Le vieux loustic avait l'air de quelqu'un qui mijote quelque chose.

— Tout ça n'est pas très clair, dis-je. Pourquoi ton oncle inviterait-il à déjeuner un type qu'il n'a jamais vu?

— Mais cher vieux corniaud, est-ce que je ne viens pas de te dire que je lui ai parlé de toi en long et en large — de notre amitié, de nos années d'école et ainsi de suite?

— Quand même — et d'ailleurs, pourquoi diable tiens-tu tant à ce que j'y aille ?

Bingo hésita un instant.

— Eh bien, je t'ai dit que j'avais une idée. Voilà. Je voudrais que tu lui annonces la nouvelle. Moi, je n'ai pas le cran.

— Quoi ! Je veux être pendu si je fais ça !

— Et tu prétends être mon pote !

— Oui, je sais. Mais il y a une limite.

— Bertie, dit Bingo d'un ton de reproche, je t'ai sauvé la vie un jour.

— Quand donc ?

— Non ? Alors ça devait être quelqu'un d'autre. Mais bon, de toute façon, on est des amis d'enfance et tout. Tu ne peux pas me laisser tomber.

— Oh ! d'accord, dis-je. Mais quand tu dis que tu n'as pas assez de cran pour faire la moindre foutue démarche, tu te sous-estimes. Un gars qui…

— Tchao ! fit le jeune Bingo. Une heure et demie demain. Ne sois pas en retard.

J'avoue que plus je réfléchissais à cette histoire, et moins elle me souriait. Bingo avait beau jeu de dire qu'un magnifique déjeuner m'attendait — mais quel bien le meilleur déjeuner du monde peut-il faire à un quidam s'il est jeté à la rue tête la première avant d'avoir fini sa soupe ? Cependant, la parole d'un Wooster est sacrée, nous respectons ces billevesées, aussi à une heure et demie le lendemain gravis-je le perron du numéro seize, Pounceby Gardens. J'appuyai sur la sonnette, et trente secondes plus tard j'étais dans le salon du premier étage et serrais la main de l'homme le plus gras que j'eusse jamais vu.

La devise de la famille Little était manifestement « Variété d'abord ». Le jeune Bingo est un fil de fer — depuis que je le connais, il n'a jamais eu un gramme de trop ; mais l'oncle rétablissait la moyenne et au-delà. La main qui saisit la mienne l'enveloppa et l'engloutit si complètement que je commençai à me demander si je pourrais jamais l'en sortir sans machine excavatrice.

— Monsieur Wooster, je suis heureux... je suis fier... je suis honoré.

Il était clair que le jeune Bingo m'avait délibérément fait mousser auprès de lui.

— Oh ! ah ! fis-je.

Il recula d'un pas, sans lâcher ma bonne vieille dextre.

— Vous êtes bien jeune pour avoir tant accompli !

Je comprenais mal. Ma famille, et en particulier ma tante Agatha, qui n'a pas cessé de me vilipender depuis ma plus tendre enfance, n'a jamais vraiment caché qu'elle considérait que je gâchais ma vie, et que, depuis que j'avais eu à l'école primaire le prix de la plus belle collection de fleurs sauvages réalisée pendant les vacances d'été, je n'avais absolument rien fichu pour mériter de ma patrie. Je me demandais si par hasard il ne me confondait pas avec quelqu'un d'autre, lorsque la sonnerie du téléphone retentit dans le hall d'entrée, et la bonne vint annoncer que c'était pour moi. J'y courus. C'était Bingo.

— Salut ! dit-il. Ainsi tu es là-bas ? Bravo ! Je savais que je pouvais compter sur toi. Dis donc, vieux croûton, est-ce que mon oncle a paru content de te voir ?

— Il déborde d'enthousiasme. Je n'y comprends rien.

— Oh ! tout va bien. Je t'appelle pour t'expliquer. Le fait est, vieux, je sais que tu ne m'en voudras pas,

24

mais je lui ai dit que tu étais l'auteur de ces bouquins que je lui ai lus.

— Quoi !

— Oui, j'ai dit que « Rosie M. Banks » était un pseudonyme, et que tu ne tenais pas à ce que ça se sache, parce que tu étais un garçon modeste et réservé. Il va t'écouter maintenant. Il sera suspendu à tes lèvres. Pas mal comme idée, hein ? Je doute que Jeeves lui-même ait pu en trouver une meilleure. Bon, vas-y sans crainte, vieux, et ne perds pas de vue le fait que ma mensualité doit être augmentée. Je ne peux songer à me marier avec ce que je reçois actuellement. Si ce film doit se terminer par le classique fondu sur la scène du baiser, il me faut au moins le double de fric. Bon, eh bien, voilà. Tchao !

Et il raccrocha. A cet instant le gong résonna, et mon aimable hôte descendit l'escalier avec autant de légèreté qu'une tonne de charbon.

Je me rappelle toujours ce déjeuner avec une sorte de cuisant regret. C'était le genre de déjeuner qu'on ne fait qu'une fois dans sa vie, et je n'étais pas en état de l'apprécier. Subconsciemment, si vous voyez ce que je veux dire, je comprenais bien que c'était quelque chose d'assez spécial, mais j'étais tellement horrifié par la situation où le jeune Bingo m'avait fourré que sa réalité profonde ne m'apparut jamais clairement. La plupart du temps, j'aurais aussi bien pu manger de la sciure, pour le plaisir que j'en retirais.

Le vieux Little aborda le thème littéraire dès le début du repas.

— Mon neveu vous a probablement dit que je m'étais penché sur votre œuvre ces derniers temps ? commença-t-il.

— Oui. Il m'en a en effet parlé. Comment... euh... comment avez-vous trouvé ces machins?

Il me regarda d'un air de profond respect.

— Monsieur Wooster, je n'ai pas honte d'avouer qu'en écoutant ces histoires, les larmes me montaient aux yeux. Je n'en reviens pas qu'un homme aussi jeune que vous ait pu sonder si infailliblement le tréfonds de l'âme humaine, faire vibrer d'une main aussi sûre les cordes sensibles de votre lecteur, écrire des romans si vrais, si humains, si émouvants, si vivants!

— Oh! c'est juste un coup à prendre...

Cette bonne vieille sueur perlait maintenant à mon front avec une assez remarquable abondance. Je ne me rappelais pas avoir jamais été aussi embarrassé.

— Trouvez-vous la pièce un rien trop chauffée?

— Oh! non, non, au contraire. C'est parfait.

— Alors, c'est le poivre. Si ma cuisinière a un défaut — ce que je ne suis guère enclin à admettre —, c'est d'avoir la main un peu lourde sur le poivre. A propos, aimez-vous sa cuisine?

J'étais si soulagé qu'il eût abandonné le sujet de ma production littéraire que je beuglai des louanges, d'une voix sonore de baryton.

— Je suis ravi de vous l'entendre dire, monsieur Wooster. Je puis être de parti pris, mais à mon avis, cette femme est un génie.

— Absolument!

— Il y a maintenant sept ans qu'elle est à mon service, et pendant tout ce temps je me l'ai jamais vue faillir aux plus hautes exigences de l'art culinaire. Sauf peut-être la fois, pendant l'hiver 1917, où un puriste aurait pu trouver qu'une certaine mayonnaise manquait d'onctuosité. Mais il faut être indulgent. Il y avait eu, peu avant, plusieurs raids aériens, et la pauvre femme était sûrement sous le choc. Mais rien n'est parfait en ce monde, monsieur Wooster, et j'ai eu ma croix à porter. Pendant sept ans j'ai vécu dans une constante appréhension : celle que des personnes malintentionnées ne me l'enlèvent. Je sais pertinemment qu'on lui a fait des propositions très avantageuses pour qu'elle accepte de travailler ailleurs. Aussi pouvez-vous juger de ma consternation, monsieur Wooster, lorsque, pas plus tard que ce matin, la foudre s'est abattue sur moi. Elle m'a donné ses huit jours !

— Tonnerre !

— Votre stupéfaction, si je puis me permettre, fait honneur au grand cœur de l'auteur de *La Rose rouge de l'été*. Mais je suis heureux de pouvoir dire que le pire a été évité. La question a été réglée. Jane ne me quitte pas.

— Chouette alors !

— Chouette, en effet — quoique cette expression ne me soit pas très familière. Je ne me rappelle pas l'avoir rencontrée dans vos livres. A propos, puis-je vous avouer que ce qui m'a impressionné en eux, plus encore que l'intensité poignante du récit proprement dit, c'est votre philosophie de l'existence. S'il y avait plus d'hommes tels que vous, monsieur Wooster, la vie à Londres serait plus agréable.

Cela contredisait absolument la philosophie de l'existence de ma tante Agatha, qui m'a toujours plus ou moins laissé entendre que c'était la présence à Londres de types tels que moi qui en faisait quelque chose comme un lieu pestiféré. Mais je ne relevai pas le propos.

— Permettez-moi de vous dire, monsieur Wooster,

combien j'apprécie la façon magnifique dont vous narguez les fétiches surannés d'une société aveugle. Vraiment, je vous en félicite! Vous êtes assez noble pour voir que le rang social n'est qu'un hochet, et que, comme le dit si superbement Lord Bletchmore dans *Une simple ouvrière*, « une honnête femme, si humble que soit son origine, est l'égale de la plus grande dame de l'univers » !

— Dites donc! Vous pensez vraiment cela?

— Parfaitement, monsieur Wooster. J'ai honte d'avouer qu'il fut un temps où, comme bien d'autres, j'étais l'esclave de l'idiote convention qu'on appelle Distinction Sociale. Mais, depuis que j'ai lu vos livres...

J'aurais dû m'en douter. Jeeves avait encore réussi.

— Vous pensez qu'un type qui se trouve dans ce qu'on pourrait appeler une certaine position sociale peut très bien épouser une fille qu'on pourrait décrire comme appartenant aux classes populaires?

— Très certainement, monsieur Wooster.

Je pris une profonde inspiration, et lui annonçai la bonne nouvelle.

— Le jeune Bingo — votre neveu, vous savez — veut épouser une serveuse.

— Cela lui fait honneur, déclara le vieux Little.

— Vous n'y voyez pas d'objection?

— Au contraire.

Je pris une autre inspiration et abordai le côté sordide de l'affaire.

— J'espère que vous ne penserez pas que je me mêle de ce qui ne me regarde pas, vous savez, mais... euh... enfin, qu'en est-il de...

— Je crains de ne pas bien vous suivre.

— Eh bien, je veux dire, sa mensualité et tout ça.

28

L'argent que vous avez la bonté de lui donner. Il avait l'air d'espérer qu'il vous serait possible d'y mettre une petite rallonge.

Le vieux Little secoua la tête à regret.

— Je crains que cela ne soit guère envisageable. Voyez-vous, un homme dans ma situation est contraint d'économiser chaque sou. Je continuerai volontiers à lui verser la somme habituelle, mais je ne peux faire plus... Ça ne serait pas juste pour ma femme.

— Quoi ! Mais vous n'êtes pas marié ?

— Pas encore. Mais je me propose de nouer incessamment les liens sacrés de l'hymen. La femme qui depuis des années cuisine si bien pour moi m'a fait l'honneur de m'accorder sa main ce matin.

Une froide lueur de triomphe passa dans ses yeux.

— Qu'ils essaient maintenant de me la prendre ! marmonna-t-il d'un ton de défi.

— Le jeune M. Little a appelé plusieurs fois Monsieur au téléphone cet après-midi, me dit Jeeves ce soir-là quand je rentrai chez moi.

— Je l'aurais parié, répondis-je.

J'avais envoyé un message à ce pauvre vieux Bingo peu après le déjeuner pour lui donner un aperçu de la situation.

— Il semblait assez excité.

— Ça ne m'étonne pas. Jeeves, il va falloir être courageux et serrer les dents, car j'ai une mauvaise nouvelle pour vous. Votre plan, celui qui consistait à lire ces bouquins au vieux M. Little et ainsi de suite, a capoté quelque part.

— Il ne s'est pas laissé fléchir ?

— Oh ! si. C'est justement ça le hic. Jeeves, je suis

désolé d'avoir à vous dire que votre fiancée...
Mlle Watson, vous savez... la cuisinière, vous savez...
eh bien, en un mot comme en cent, elle a préféré
l'éclat de la fortune à l'honnête mérite, si vous voyez
ce que je veux dire.

— Monsieur?

— Elle vous a rendu sa parole et s'est fiancée au
vieux M. Little!

— Vraiment, Monsieur?

— Ça n'a pas l'air de vous bouleverser.

— Le fait est, Monsieur, que je m'étais attendu à
quelque chose de ce genre.

Je le regardai, bouche bée.

— Alors pourquoi diable avez-vous suggéré ce
plan?

— A vrai dire, Monsieur, je n'étais pas totalement
opposé à une rupture de mes relations avec Mlle Watson. En fait, je la souhaitais vivement. Je respecte
énormément Mlle Watson, mais j'ai compris depuis
longtemps que nous n'étions pas faits pour nous
entendre. En revanche, l'*autre* jeune personne avec
qui j'ai un arrangement...

— Sapristi, Jeeves! Il n'y en a pas une autre?

— Si, Monsieur.

— Depuis quand?

— Quelques semaines, Monsieur. Elle m'a beaucoup plu la première fois que je l'ai vue à un bal
populaire à Camberwell.

— Seigneur! Ce n'est pas...

— Si, Monsieur. Une curieuse coïncidence veut
que ce soit précisément la jeune personne que le jeune
M. Little... — j'ai posé les cigarettes sur la petite
table, Monsieur. Bonne nuit, Monsieur.

3

TANTE AGATHA NE MÂCHE PAS SES MOTS

Je suppose que dans le cas d'un type à l'âme bien trempée et tout, une certaine tristesse, une certaine anxiété auraient suivi l'anéantissement des projets matrimoniaux du jeune Bingo. Je veux dire, si ma nature avait été noble, j'aurais été plongé dans la désolation. Mais, d'une façon générale, je ne peux prendre les choses trop à cœur. Et le fait que, moins d'une semaine après le coup qu'il avait reçu, je vis le jeune Bingo danser comme une gazelle sauvage au *Ciro*, m'aida à supporter ma peine.

Il a du ressort, ce Bingo. Il va au tapis, mais il n'est jamais K.-O. Tant que ses amourettes durent, personne ne pourrait être plus sérieux et assommant que lui ; mais une fois que l'affaire a tourné court et que la fille lui a tendu son chapeau en le priant de lui faire la faveur de ne jamais reparaître devant elle, le voilà qui s'épanouit à nouveau, plus joyeux que jamais. Si je n'ai pas vu cela une bonne douzaine de fois, je ne l'ai jamais vu.

Je ne m'en faisais donc pas pour lui. Ni pour autre chose, d'ailleurs. L'un dans l'autre, je ne me rappelle pas avoir jamais été plus heureux qu'à ce moment de ma carrière. Tout semblait me sourire. A trois reprises, des chevaux sur lesquels j'avais investi un bon petit paquet arrivèrent dans un fauteuil au lieu de se coucher à mi-course pour se reposer, comme ils le font d'ordinaire quand je parie sur eux.

En outre, le temps continuait à être absolument superbe ; on reconnaissait unanimement que mes nouvelles chaussettes auraient pu être tricotées par ma mère elle-même ; et, pour couronner le tout, ma tante Agatha était en France et serait dans l'impossibilité de m'enquiquiner pendant six bonnes semaines. Et si vous connaissiez ma tante Agatha, vous conviendriez que cela seul suffirait au bonheur de n'importe qui.

Je fus tellement frappé, un matin que j'étais dans mon bain, par le fait que j'étais absolument libre de tout souci, que je me mis à chanter comme un fichu rossignol en me passant l'éponge sur le corps. Il me semblait que tout était réellement pour le mieux dans le meilleur des mondes possible.

Mais avez-vous remarqué comme la vie est bizarre ? Et comme quelque chose survient toujours pour vous faire le coup du lapin au moment précis où vous vous sentez le mieux disposé envers l'univers tout entier ? A peine eus-je séché la vieille carcasse, enfilé mes vêtements et pénétré dans le salon que le couperet tomba. Il y avait une lettre de Tante Agatha sur la cheminée.

— Oh ! zut ! m'exclamai-je quand je l'eus parcourue.

— Monsieur ? fit Jeeves, qui était occupé à je ne sais quoi dans le fond de la pièce.

— Une lettre de ma tante Agatha, Jeeves. Mme Gregson, vous savez bien.

— Oui, Monsieur ?

— Ah ! vous ne parleriez pas sur ce ton léger et insouciant si vous saviez ce qu'elle m'écrit, dis-je avec un petit rire amer. Le malheur est sur nous, Jeeves. Elle veut que j'aille la rejoindre à… comment s'appelle ce maudit endroit?… à Roville-sur-Mer. Oh! zut et re-zut!

— Je devrais peut-être aller faire les valises, Monsieur?

— Je suppose que oui.

Il m'est vraiment très difficile d'expliquer aux gens qui ne connaissent pas ma tante Agatha pourquoi elle m'a toujours terrorisé à ce point. Car enfin, je ne dépends pas d'elle financièrement ni rien. J'en suis venu à la conclusion qu'il s'agissait d'une question de personnalité. Voyez-vous, pendant toute mon enfance et quand j'étais écolier, elle a toujours pu me désarçonner d'un seul regard, et je subis encore cette influence. Nous sommes assez grands dans la famille, et Tante Agatha culmine à près d'un mètre quatre-vingts. Avec son nez crochu, son œil d'aigle, et un tas de cheveux gris, l'effet général est plutôt impressionnant. Quoi qu'il en soit, l'idée ne me vint pas un seul instant de ne pas obéir à ses ordres. Si elle disait que je devais aller à Roville, il n'y avait pas d'autre solution que d'acheter les billets.

— Qu'est-ce que ça signifie, Jeeves? Je me demande bien ce qu'elle me veut.

— Je ne saurais le dire, Monsieur.

Bon, il était inutile d'en discuter. La seule lueur de réconfort, le seul bout de ciel bleu parmi tous ces nuages, c'était qu'à Roville je pourrais enfin porter la ceinture en tissu assez chouette que j'avais achetée six mois auparavant et que je n'avais encore jamais osé mettre. Un de ces trucs en soie, vous savez, que vous enroulez autour de votre taille à la place du gilet, quelque chose comme une écharpe de maire, en plus fourni. Je n'avais pas encore eu le courage de la porter, car je savais que, dans ce cas, j'aurais des ennuis avec Jeeves, la couleur étant un écarlate assez vif. Mais il me semblait que dans un endroit comme Roville, qui ruisselait probablement de gaieté et de *joie de vivre*[1] françaises, quelque chose pourrait être tenté.

Roville, où j'arrivai de bonne heure le lendemain matin, après une horrible traversée agitée et une nuit dans un train cahotant, est un endroit plutôt bath, où un quidam libre de toute entrave familiale peut passer une dizaine de jours assez sympathiques. C'est une station balnéaire française typique, avec sa plage, ses hôtels et son casino. L'hôtel qui avait eu la malchance d'être choisi par Tante Agatha était *le Splendide*, et lorsque j'y débarquai, il n'y avait pas un seul membre du personnel qui n'en parût profondément affecté. Je les comprenais. J'avais déjà séjourné dans des hôtels avec Tante Agatha. Bien sûr, lorsque j'arrivai, le plus gros du travail était fait, mais je devinais, à voir la façon dont chacun rampait devant elle, qu'elle avait commencé par exiger une autre chambre, parce que la sienne n'était pas exposée au sud, puis une autre encore, à cause d'une armoire qui grinçait, et qu'elle avait dit ce qu'elle avait à dire au sujet de la cuisine, du service, des femmes de chambre et ainsi de suite, sans la moindre gêne et en toute franchise. Tout ce petit monde lui obéissait maintenant au doigt et à l'œil. Le directeur, un type moustachu qui ressemblait à un bandit, ne savait tout simplement plus où se mettre chaque fois qu'elle le regardait.

Cette collection de triomphes avait suscité en elle une sorte d'austère cordialité, si bien qu'elle se montra

1. En français dans le texte. (*N.d.T.*)

34

presque maternelle quand nous nous rencontrâmes.

— Je suis si heureuse que tu aies pu venir, Bertie, dit-elle. L'air d'ici te fera beaucoup de bien. Ça vaudra beaucoup mieux pour toi que de passer tout ton temps dans des night-clubs enfumés.

— Oh! ah!

— Tu vas aussi rencontrer des gens agréables. Je voudrais te présenter à une demoiselle Hemmingway et à son frère, qui sont devenus de grands amis à moi. Je suis sûre que Mlle Hemmingway va te plaire. C'est une jeune fille charmante et posée, si différente de toutes ces filles délurées qu'on voit de nos jours à Londres. Son frère est vicaire à Chipley-le-Vallon dans le Dorsetshire. Il me dit qu'ils sont apparentés aux Hemmingway du Kent. Une excellente famille. C'est une jeune fille délicieuse.

J'eus le sinistre pressentiment d'un affreux malheur. Tous ces éloges ressemblaient si peu à Tante Agatha, qui est connue dans la bonne société londonienne pour être une vraie championne au jeu de massacre. Je soupçonnai quelque chose de pas net. Et, sapristi, j'avais raison.

— Alice Hemmingway, déclara-t-elle, est tout à fait le genre de fille que j'aimerais te voir épouser, Bertie. Tu devrais songer à te marier. Le mariage ferait peut-être quelque chose de toi. Et je ne pourrais te souhaiter une meilleure femme que cette chère Alice. Elle aurait une si bonne influence sur toi.

— Allons donc! parvins-je à placer, transi jusqu'à la moelle.

— Bertie! fit Tante Agatha en abandonnant un instant le ton maternel et en me fixant d'un œil glacé.

— Oui, mais enfin...

— Ce sont les jeunes hommes tels que toi, Bertie, qui font désespérer de l'avenir de la race. Tu as le malheur d'avoir trop d'argent, et tu gaspilles en égoïste oisiveté une vie qui pourrait être utile et profitable à toi-même et à autrui. Tu ne fais rien d'autre que perdre ton temps dans des plaisirs frivoles. Tu n'es qu'un animal antisocial, un fainéant. Bertie, il faut absolument que tu te maries.

— Mais, bon sang...

— Oui! Tu devrais avoir des enfants pour...

— Non, je vous en prie, s'il vous plaît! balbutiai-je en piquant un magnifique fard.

Tante Agatha est membre de deux ou trois clubs féminins, et elle oublie tout le temps qu'elle n'est pas dans un fumoir.

— Bertie, reprit-elle — et elle se serait sûrement lancée dans une tirade assez gratinée, si nous n'avions pas été interrompus. Ah! les voilà! s'exclama-t-elle. Aline, ma chérie!

Je vis une fille et un type qui s'approchaient de moi, un sourire de contentement aux lèvres.

— Je voudrais vous présenter mon neveu, Bertie Wooster, dit Tante Agatha. Il vient d'arriver. Quelle surprise! J'ignorais qu'il avait l'intention de venir à Roville.

Je les toisai tous deux avec circonspection, ayant plus ou moins l'impression d'être un chat au milieu d'une meute de chiens. Je me sentais pris au piège, si vous voyez ce que je veux dire. Une voix intérieure me murmurait que le gars Bertrand était dans la panade.

Le frère était un petit type rond, dont la figure évoquait un mouton. Il portait un pince-nez, son expression était bienveillante, et il avait un de ces faux cols d'ecclésiastique qui se boutonnent par-derrière.

— Bienvenue à Roville, monsieur Wooster, dit-il.

— Oh! Sidney! dit la fille. Monsieur Wooster ne te

rappelle-t-il pas le chanoine Blenkinsop, qui est venu prêcher à Chipley à Pâques?

— Ma chère! La ressemblance est frappante!

Ils me dévisagèrent un instant comme si j'étais un objet dans une vitrine, et je leur rendis la politesse en reluquant la fille. Aucun doute, elle était différente de ce que Tante Agatha avait appelé les filles délurées qu'on voit à Londres de nos jours. Avec elle, pas question de cheveux courts ou de cigarette au bec! Je ne pense pas avoir jamais rencontré quelqu'un qui eût l'air si... respectable, je ne vois pas d'autre mot. Elle portait une robe toute simple, et elle était coiffée simplement, et son visage reflétait une sorte d'angélique douceur. Je ne prétends pas être un Sherlock Holmes ni rien de tel, mais dès que mes yeux se posèrent sur elle, je pensai : « Cette fille joue de l'orgue dans une église de village! »

Nous nous observâmes donc un moment, puis taillâmes une petite bavette, et je pus enfin me sauver. Mais j'avais dû promettre d'emmener le frère et la sœur faire une jolie promenade en voiture l'après-midi même. Et cette pensée me déprimait tant que je me dis qu'il n'y avait qu'une solution. J'allai tout droit dans ma chambre, exhumai ma ceinture en soie, et l'enroulai autour de ma taille. Je me retournai, et Jeeves broncha comme un mustang effrayé.

— Je demande pardon à Monsieur, dit-il d'une voix étouffée, mais Monsieur ne se propose certainement pas de se montrer ainsi en public?

— Vous voulez parler de la ceinture? demandai-je d'un air insouciant et débonnaire en haussant les épaules. Je vais me gêner!

— Je ne le conseille pas à Monsieur. Vraiment pas.

— Et pourquoi donc?

— L'effet est tapageur à l'extrême, Monsieur.

Je décidai de répliquer à ce cornichon par deux mots bien sentis. Personne ne sait mieux que moi que Jeeves est un esprit supérieur et tout, mais bon sang, un homme tient à sa liberté. On ne peut pas être l'esclave de son valet. De toute façon, mon moral était plutôt bas, et cette ceinture était la seule chose qui pût le remonter un tant soit peu.

— Franchement, l'ennui avec vous, Jeeves, c'est que vous êtes trop… comment dire ?… trop sacrément britannique. Vous ne vous rendez pas compte que vous n'êtes pas tout le temps à Piccadilly. Dans un endroit comme celui-ci, on attend de vous une touche de couleur, un zeste de poésie. Tenez, je viens de voir en bas un type en jaquette de velours jaune.

— Néanmoins, Monsieur…

— Jeeves, dis-je avec fermeté, inutile d'insister. Je me sens un peu abattu et j'ai besoin de réconfort. D'ailleurs, qu'est-ce qui vous gêne là-dedans ? Cette ceinture me paraît tout à fait appropriée. Je trouve qu'elle a un petit air espagnol. Quelque chose d'hidalgo. Un truc à la Vicente y Blasco Machin-Chose. Le brave toréador sur le chemin de l'arène.

— Très bien, Monsieur, admit Jeeves d'un ton glacial.

Tout cela était diablement ennuyeux. S'il y a une chose qui me hérisse le poil, c'est bien une atmosphère domestique empoisonnée ; et je me rendais compte que mes relations avec Jeeves allaient être plutôt tendues pendant un moment. Je n'ai pas honte d'avouer que cette épreuve, s'ajoutant à la bombe lâchée par Tante Agatha au sujet de la fille Hemmingway, faisait que j'avais plus ou moins le sentiment que personne ne m'aimait.

La promenade en voiture de l'après-midi fut à peu près aussi fastidieuse que je l'avais prévu. Le gars, le vicaire, pérorait de choses et d'autres, tandis que la fille admirait le paysage. Je ne tardai pas à attraper un mal de tête qui partait de la plante des pieds et remontait tout le long du corps en empirant... Je retournai en chancelant dans ma chambre afin de m'habiller pour le dîner, aussi joyeux qu'un crapaud écrasé. S'il n'y avait pas eu cette histoire de ceinture plus tôt dans la journée, j'aurais pu aller sangloter sur l'épaule de Jeeves et lui raconter tous mes ennuis. Même ainsi, je ne pus tout garder pour moi.

— Dites donc, Jeeves, commençai-je.

— Monsieur ?

— Versez-moi une fine à l'eau bien tassée.

— Oui, Monsieur.

— Bien tassée, Jeeves. Pas trop d'eau, mais ne lésinez pas sur le cognac.

— Très bien, Monsieur.

Je m'humectai le gosier, et me sentis un petit peu mieux.

— Jeeves.

— Monsieur ?

— Je crois bien que je suis dans le pétrin, Jeeves.

— Vraiment, Monsieur ?

Je le regardai attentivement. Son attitude était bougrement distante. La ceinture en soie lui restait sur le cœur.

— Oui. Jusqu'au cou, ajoutai-je en ravalant l'orgueil des Wooster pour essayer de le ramener à des sentiments plus amicaux. Avez-vous remarqué ici une fille accompagnée de son frère, un ecclésiastique ?

— Mlle Hemmingway, Monsieur ? Oui, Monsieur.

— Tante Agatha veut que je l'épouse.

— Vraiment, Monsieur?

— Eh bien, qu'en dites-vous?

— Monsieur?

— Je veux dire, n'avez-vous rien à suggérer?

— Non, Monsieur.

L'attitude du cornichon était si froide, si inamicale que je serrai les dents et m'efforçai de prendre un ton désinvolte.

— Oh! et puis flûte! fis-je.

— Absolument, Monsieur, dit Jeeves.

Et ce fut, en quelque sorte, le mot de la fin.

4

DES PERLES ET DES LARMES

Je me souviens — cela doit remonter à mes années d'école, parce que je ne m'intéresse plus guère à ce genre de chose à présent — d'une sorte de poème qui parlait de je ne sais trop quoi et où il y avait un vers qui disait quelque chose comme : « L'ombre de la prison cernait l'adolescent. » Eh bien, voilà où je veux en venir, pendant les deux semaines qui suivirent, c'est exactement ainsi qu'il en fut pour moi. Je veux dire que je pouvais entendre les accords de la marche nuptiale jouer faiblement au loin et s'amplifier chaque jour un peu plus, et il m'était impossible d'imaginer comment diable je pourrais me sortir de là. Jeeves aurait certainement pu tirer de son chapeau une douzaine de plans ingénieux en moins de trois minutes, mais il se montrait toujours si distant et si froid que je ne pouvais me résoudre à lui demander service de but en blanc. Car enfin, il voyait bien que son jeune maître était dans de mauvais draps, et si cela ne suffisait pas à lui faire négliger le fait que ma taille était toujours drapée de couleur vive, eh bien, c'était tout simplement que le vieil esprit féodal était mort dans l'âme du pauvre corniaud et qu'il n'y avait rien à y faire.

C'était vraiment curieux, la façon dont la famille

Hemmingway s'était entichée de moi. Je n'aurais pas spontanément soutenu qu'il y avait en moi quelque chose de particulièrement fascinant — à vrai dire, la plupart des gens me considèrent plutôt comme un crétin; mais il était indéniable que cette fille et son frère m'avaient à la bonne. Ils semblaient n'être heureux qu'en ma compagnie. Bon sang! je ne pouvais faire un pas sans que l'un d'eux surgisse de quelque part et se colle à moi. D'ailleurs, je pris bientôt l'habitude de me retirer dans ma chambre quand je voulais respirer un moment. J'avais réussi à obtenir une suite assez chouette au troisième étage, qui donnait sur la promenade.

Je m'étais réfugié dans ma suite un soir et, pour la première fois de la journée, je me disais que la vie n'était pas si moche après tout. J'avais eu la fille Hemmingway sur le dos tout l'après-midi, Tante Agatha nous ayant chassés tous les deux juste après le déjeuner. Aussi ressentais-je une certaine mélancolie en contemplant la promenade éclairée, avec tous ses joyeux flâneurs qui rentraient dîner et son casino et tutti quanti. Je ne pouvais m'empêcher de songer au bon temps que j'aurais pu avoir dans un endroit pareil si seulement Tante Agatha et les autres crampons avaient été ailleurs.

Je soupirai, et à ce moment précis on frappa à la porte.

— Il y a quelqu'un, Jeeves.

— Oui, Monsieur.

Il ouvrit la porte, et qui surgirent? Alice Hemmingway et son frère. Les dernières personnes que je me serais attendu à voir. J'avais vraiment cru que je pouvais être tranquille une minute dans ma propre chambre.

42

— Oh! salut! fis-je.

— Oh! Monsieur Wooster! murmura la fille d'une voix qui s'étranglait. Je ne sais pas par où commencer.

Je remarquai alors qu'elle paraissait extrêmement troublée; quant au frère, on aurait dit un mouton qui a un chagrin secret.

Je me redressai dans mon fauteuil. J'avais supposé qu'il s'agissait d'une simple visite de courtoisie, mais il s'était apparemment passé quelque chose de déplaisant pour eux. Cependant, je ne voyais pas ce que j'avais à faire là-dedans.

— Il y a quelque chose qui ne va pas? demandai-je.

— Pauvre Sidney... c'est ma faute... je n'aurais jamais dû le laisser aller là-bas tout seul, dit la fille.

Elle avait l'air rudement secouée. Son frère, qui, après avoir ôté un manteau flasque et déposé son chapeau sur une chaise, s'était tenu à son côté sans dire un mot, émit une petite toux qui évoquait celle d'un agneau perdu dans le brouillard au sommet d'une montagne.

— Le fait est, monsieur Wooster, commença-t-il, qu'il s'est produit une chose bien triste, une chose déplorable. Cet après-midi, pendant que vous teniez si aimablement compagnie à ma sœur, j'ai trouvé le temps un peu long et j'ai été tenté de... euh... d'aller au casino.

Je le regardai avec plus de bienveillance que je ne lui en avais manifesté jusque-là. Le fait qu'il eût un tempérament de joueur le faisait paraître plus humain, je l'avoue. Si seulement j'avais su plus tôt qu'il s'intéressait à ce genre de chose, pensai-je, nous aurions pu passer ensemble des moments plus agréables.

— Oh! fis-je. Ça a marché?

Il poussa un profond soupir.

— Si vous voulez parler de ma chance au jeu, il me faut répondre par la négative. J'ai imprudemment persisté dans mon idée que le rouge, étant sorti pas moins de sept fois d'affilée, devait nécessairement et incessamment laisser la place au noir. C'était une erreur. J'ai perdu ce que j'avais, monsieur Wooster.

— Pas de pot, dis-je.

— J'ai quitté le casino, poursuivit le gars, et suis rentré à l'hôtel. Là, j'ai rencontré un de mes paroissiens, le colonel Musgrave, qui se trouve être en villégiature ici. Je l'ai... euh... persuadé de me prêter cent livres en échange d'un chèque à tirer sur mon modeste compte dans une banque londonienne.

— Eh bien, c'était parfait, non? dis-je pour encourager le pauvre bougre à voir le bon côté de la situation. Je veux dire, c'est de la veine de trouver quelqu'un qui vous sorte comme ça cent billets de sa poche.

— Au contraire, monsieur Wooster, ça n'a fait qu'empirer les choses. Je brûle de honte en confessant ceci, mais je suis immédiatement retourné au casino et j'ai perdu toute la somme — cette fois en supposant à tort qu'il allait y avoir, comme on dit, je crois, une série sur le noir.

— Dites donc! m'exclamai-je. Vous avez vraiment fait la bringue cette nuit!

— Et, conclut le gars, le plus lamentable dans toute cette affaire, c'est que le chèque que j'ai signé est... sans provision.

Je reconnais volontiers que, bien qu'il m'apparût clairement à présent qu'on n'allait pas tarder à essayer de me taper dans les grandes largeurs, je ressentis une certaine sympathie pour le pauvre animal. Je le regardai même avec pas mal d'intérêt et d'admiration. Je

44

n'avais jamais rencontré de vicaire qui fût à ce point à la hauteur. Il avait beau ne pas vraiment ressembler à un garnement de village, il n'en était pas moins, de toute évidence, un sacré gaillard, et je regrettais qu'il ne m'eût pas dévoilé plus tôt cet aspect de sa personnalité.

— Le colonel Musgrave — ajouta-t-il en avalant sa salive — n'est pas du genre à se montrer accommodant dans un cas comme celui-ci. C'est un homme sévère. Il va me dénoncer à mon pas-teûûr. Mon pas-teûûr est également un homme sévère. Bref, monsieur Wooster, si le colonel Musgrave se présente à ma banque avec ce chèque, je suis un homme fini. Et il rentre en Angleterre ce soir même.

La fille, qui avait attendu (en mordillant son mouchoir et en poussant de temps à autre un petit sanglot) que son frère eût terminé sa confession, reprit alors la parole.

— Monsieur Wooster, s'écria-t-elle, n'allez-vous pas, n'allez-vous pas nous aider ? Oh ! dites que vous le ferez ! Nous devons trouver cet argent pour récupérer le chèque avant vingt et une heures — le colonel prend le train de vingt et une heures trente. Je ne savais plus à quel saint me vouer, lorsque je me suis rappelé à quel point vous aviez toujours été aimable avec nous. Monsieur Wooster, voulez-vous prêter cet argent à Sidney et accepter ceci à titre de garantie ?

Je n'avais pas eu le temps de réagir qu'elle avait déjà plongé la main dans son sac, sorti un petit coffret, et ouvert celui-ci.

— Mes perles, dit-elle. Je ne sais pas ce qu'elles valent — elles me viennent de mon pauvre père...

— Hélas défunt, précisa le frère.

— Mais je suis sûre qu'elles valent beaucoup plus que ce dont nous avons besoin.

Fichtrement embarrassant. J'avais l'impression d'être un prêteur sur gages. Toute cette affaire évoquait fortement la classique mise au clou de la montre du grand-père.

— Mais non, je vous assure, protestai-je. Pas besoin de garantie, vous savez, ni de truc de ce genre. Je vous prêterai volontiers cet argent. Il se trouve que j'ai cette somme sur moi. C'est une chance que je sois passé à la banque ce matin.

Je mis la main à la poche et tendis les billets. Le frère secoua la tête.

— Monsieur Wooster, dit-il, nous apprécions votre générosité, la magnifique et réconfortante confiance que vous nous témoignez, mais nous ne pouvons accepter ceci.

— Ce que Sidney veut dire, continua la fille, c'est qu'au fond vous ne savez rien de nous. Vous ne pouvez pas prendre le risque de prêter tout cet argent, sans garantie, à deux personnes qui, après tout, sont presque des inconnus pour vous. Si je n'avais pas cru que vous seriez décidé à tout faire dans les formes, je n'aurais jamais osé...

— Vous comprendrez aisément, dit le frère, à quel point l'idée de... d'engager ce collier au mont-de-piété local nous répugnait.

— Si vous voulez bien me donner un reçu, pour la forme, dit la sœur.

— Oh ! d'accord !

J'écrivis le reçu et le lui tendis, en ayant plus ou moins l'impression d'être le dernier des crétins.

— Voilà, dis-je.

La fille prit le bout de papier, le fourra dans son sac, s'empara des billets, les passa à son frère Sidney, puis, avant même que je me rende compte de ce qui se passait, elle s'approcha vivement de moi, m'embrassa, et se sauva.

J'avoue que la chose me troubla. Ç'avait été si soudain et inattendu... Enfin, une fille comme elle, qui avait toujours été si calme et réservée et ainsi de suite — en aucun cas le genre de souris qui passe son temps à sauter au cou des hommes. Je voyais à travers une sorte de brouillard Jeeves qui, revenu au-devant de la scène, aidait le frère à enfiler son manteau ; et je me souviens que je me demandai confusément comment diable un homme pouvait se résoudre à porter un tel manteau, qui ressemblait plus à un sac qu'à autre chose. Puis le frère vint à moi et me saisit la main.

— Je ne sais comment vous remercier, monsieur Wooster.

— Oh ! il n'y a pas de quoi.

— Vous avez sauvé ma réputation. La réputation d'un homme ou d'une femme, mon cher monsieur, déclara-t-il en me massant la paluche avec ferveur, est le plus précieux joyau de son âme. Qui vole ma bourse ne vole que de la poussière. C'était à moi, c'est à lui, et des milliers de mains se sont salies au contact de l'argent. Mais celui qui me prive de ma réputation me prend ce qui ne l'enrichit pas et qui m'appauvrit réellement. Je vous remercie du fond du cœur. Bonne soirée, monsieur Wooster.

— Bonsoir, vieux.

La porte se referma, et j'adressai un clin d'œil à Jeeves.

— Voilà une assez triste affaire, Jeeves.

— Oui, Monsieur.

— Encore heureux que j'aie eu cet argent sous la main.

— Eh bien... euh... oui, Monsieur.

— Vous parlez comme si vous n'en pensiez rien de bon.

— Ce n'est pas mon rôle de critiquer les actes de Monsieur, mais je me risquerai à dire qu'à mon sens Monsieur n'a pas été très prudent.

— Quoi, en prêtant cet argent ?

— Oui, Monsieur. Ces stations balnéaires françaises à la mode ont la fâcheuse réputation d'être infestées d'individus sans scrupules.

Ça alors, c'était un peu fort.

— Écoutez, Jeeves, je suis patient, mais si vous vous mettez à casser du sucre ou ce que vous voudrez sur un type qui est dans les ordres...

— Peut-être suis-je trop méfiant, Monsieur. Mais je connais bien ce genre d'endroit. Quand j'étais au service de Lord Frederick Ranelagh, peu avant que j'entre au service de Monsieur, il s'était fait proprement escroquer par un criminel connu, je crois, sous le sobriquet de Sid le Mielleux, qui avait réussi à entrer en rapport avec nous à Monte-Carlo avec l'aide d'une complice. Je me souviens très bien de cet incident.

— Je ne voudrais pas m'immiscer dans vos souvenirs, Jeeves, répliquai-je avec froideur, mais vous racontez n'importe quoi. Comment pourrait-il y avoir quelque chose de louche dans cette histoire ? Ils m'ont laissé les perles, non ? Bon, alors réfléchissez avant de parler. Vous feriez mieux de descendre à la réception maintenant pour déposer ce truc-là dans le coffre de l'hôtel.

Je pris le petit coffret et l'ouvris.

— Oh ! bon Dieu !

La foutue boîte était vide !

— Bon sang de bon soir ! m'écriai-je, n'en croyant

pas mes yeux. Ne me dites pas qu'il y avait de l'entourloupe dans l'air finalement !

— Hélas ! Monsieur. C'est exactement de la même manière que Lord Frederick s'est fait escroquer en cette circonstance que je mentionnais. Pendant que sa complice embrassait Monsieur le Comte avec reconnaissance, Sidney le Mielleux remplaça le coffret contenant les perles par un coffret semblable, et partit avec les bijoux, l'argent et le reçu. Grâce à celui-ci, il put exiger par la suite que Monsieur le Comte lui rendît les perles, et ce dernier, étant dans l'impossibilité de le faire, dut verser une forte somme en dédommagement. C'est une ruse simple, mais efficace.

J'eus l'impression que le sol se dérobait sous mes pieds.

— Sid le Mielleux ? Sid ! *Sidney !* Le frère ! Sapristi, Jeeves, pensez-vous que cet ecclésiastique était Sid le Mielleux ?

— Oui, Monsieur.

— Mais ça semble incroyable. Enfin, ce col qui se boutonnait par-derrière... Je veux dire, il aurait donné le change à un évêque. Pensez-vous vraiment qu'il s'agissait de Sid le Mielleux ?

— Oui, Monsieur. Je l'ai reconnu dès qu'il est entré dans la pièce.

Interdit, je dévisageai le bourricot.

— Vous l'avez reconnu ?

— Oui, Monsieur.

— Alors, nom d'un chien, dis-je avec humeur, il me semble que vous auriez pu m'avertir.

— J'ai pensé qu'une scène assez pénible pourrait être évitée si je me contentais de retirer le coffret de la poche de cet homme pendant que je l'aidais à remettre son manteau, Monsieur. Le voici.

Il posa un coffret sur la table, à côté du coffret vide, et sapristi, il était impossible de distinguer l'un de l'autre. Je l'ouvris, et pas de doute, ces bonnes vieilles perles étaient là, qui me souriaient joyeusement et de tout leur éclat comme des diablesses. Je tournai vers Jeeves un regard vacillant. Je me sentais plus ou moins à bout de nerfs.

— Jeeves, dis-je. Vous êtes absolument génial.

— Oui, Monsieur.

De grandes vagues de soulagement me submergeaient à présent. Grâce à Jeeves, je n'allais pas devoir cracher plusieurs milliers de livres.

— J'ai bien l'impression que vous m'avez sauvé la mise, Jeeves. Il me semble peu probable que même un type aussi infernalement culotté que ce cher vieux Sid ait le toupet de venir récupérer ces petites coquines.

— En effet, Monsieur.

— Bon, eh bien... Oh! dites donc, vous ne croyez pas qu'elles sont en strass ou quelque chose comme ça?

— Non, Monsieur. Ce sont des perles authentiques et de grande valeur.

— Eh bien, alors, bon sang, j'ai tiré le gros lot. Je roule littéralement sur l'or! J'ai peut-être perdu cent livres, mais j'ai gagné un chouette collier de perles. N'ai-je pas raison?

— Pas tout à fait, Monsieur. Je pense qu'il faudra que Monsieur rende les perles.

— Hein! A Sid? Pas tant que j'aurai mes deux poings pour me défendre!

— Non, Monsieur. A leur légitime propriétaire.

— Mais qui est leur légitime propriétaire?

— Mme Gregson, Monsieur.

— Hein! Comment le savez-vous?

— Il y a une heure, le bruit a couru dans tout l'hôtel que les perles de Mme Gregson avaient été dérobées. Je parlais à la femme de chambre de Mme Gregson peu avant votre arrivée, Monsieur, et elle me disait que le directeur de l'hôtel se trouvait maintenant dans la suite de Mme Gregson.

— Et passait un sale quart d'heure, c'est ça ?

— J'inclinerais à le croire, Monsieur.

Je commençais à entrevoir le bon côté de la situation.

— Je vais aller les lui rendre, hein ? Elle m'en saura gré, non ?

— Exactement, Monsieur. Et, si je puis le suggérer à Monsieur, je pense qu'il serait peut-être judicieux de souligner le fait qu'elles ont été volées par...

— Saperlipopette ! Par la même sacrée donzelle qu'elle voulait à toute force me faire épouser, nom d'une pipe !

— Précisément, Monsieur.

— Jeeves, dis-je, ceci va être la plus grande victoire jamais remportée sur cette brave parente depuis que le monde est monde !

— C'est assez vraisemblable, Monsieur.

— Après cela, elle se tiendra un peu tranquille, non ? Elle cessera de m'enquiquiner pendant un moment ?

— On peut s'y attendre, Monsieur.

— Vingt dieux ! lançai-je en bondissant vers la porte.

Je me rendis compte, bien avant de parvenir jusqu'au repaire de Tante Agatha, que la chasse était donnée. Divers membres du personnel en uniforme et toutes sortes de femmes de chambre tendaient l'oreille dans le couloir, et je pouvais entendre à travers les cloisons un brouhaha de voix, que dominait celle de Tante Agatha. Je frappai, mais personne ne répondit, alors je me glissai à l'intérieur de la pièce. Parmi les personnes présentes, je remarquai une femme de chambre en proie à une crise de nerfs, Tante Agatha, le cheveu hérissé, et le type moustachu qui ressemblait à un bandit et qui était le directeur de l'hôtel.

— Oh! hello! dis-je. Hello! hello!

Tante Agatha poussa un soupir excédé. Pas de sourire de bienvenue pour le neveu Bertrand.

— Ne viens pas te mettre dans mes jambes maintenant, m'ordonna-t-elle sèchement, en me regardant comme si j'étais plus ou moins la goutte qui fait déborder le vase.

— Quelque chose ne va pas?

— Oui, oui, oui! J'ai perdu mes perles.

— Perles? Perles? Perles? Non, vraiment? Rudement ennuyeux. Où est-ce que vous les avez vues pour la dernière fois?

— Qu'est-ce que ça peut faire, où je les ai vues pour la dernière fois? On me les a volées.

Ici Wilfred le Moustachu, qui semblait s'être reposé entre deux rounds, remonta sur le ring et se mit à parler à toute vitesse en français. Il paraissait piqué au vif. La femme de chambre ululait dans un coin.

— Vous êtes sûre d'avoir regardé partout? demandai-je.

— Évidemment que j'ai regardé partout.

— C'est que, vous savez, il m'est souvent arrivé d'égarer un bouton de col et...

— Bertie, je t'en prie, ne m'exaspère pas! J'ai assez

à supporter sans tes imbécillités. Oh! tais-toi! Tais-toi! cria-t-elle d'une voix qui évoquait irrésistiblement celle des sergents-majors ou de ces types qui appellent le bétail dans les landes de Dee — et tel était le magnétisme de sa forte personnalité que Wilfred se calma comme s'il s'était cogné contre un mur. La femme de chambre, elle, continuait sans faiblir.

— Dites donc, je crois que cette fille a un problème. Est-ce qu'elle ne serait pas en train de pleurer, des fois? Vous ne l'avez peut-être pas remarqué, mais pour ma part, je suis assez observateur.

— C'est elle qui a volé mes perles! J'en suis convaincue.

Cela remit l'amateur de moustaches sur rails, et environ deux minutes plus tard Tante Agatha avait atteint la phase « grande dame à l'air glacial » et houspillait le dernier des bandits de la voix qu'elle réservait d'ordinaire aux garçons de restaurant.

— Je vous répète, mon brave, pour la centième fois...

— Dites donc, fis-je, je ne voudrais pas vous interrompre ni quoi que ce soit, mais ne serait-ce pas vos petites coquines, par hasard?

Je tirai le collier de ma poche et le tins devant moi.

— On dirait bien des perles, non?

Je ne pense pas avoir jamais connu de minute plus délicieuse. C'était là une de ces circonstances dont je parlerai à mes petits-enfants — si j'en ai un jour, ce qui, au moment où nous mettons sous presse, semble être de l'ordre du pari à 100 contre 1. Tante Agatha se dégonfla tout simplement sous mes yeux. Ça me rappela la fois où j'avais vu des types laisser un ballon se vider de son gaz.

— Où... où... où... gargouilla-t-elle.

— Je les tiens de votre amie, Mlle Hemmingway.
Elle ne pigeait toujours pas.

— De Mlle Hemmingway. Mlle *Hemmingway*!
Mais... mais comment sont-elles venues en sa posses-
sion?

— Comment? Parce qu'elle les a bel et bien volées.
Barbotées. Fauchées! Parce que c'est ainsi qu'elle
gagne sa vie, sacrebleu — en s'attirant la sympathie de
personnes confiantes dans les hôtels et en subtilisant
leurs bijoux. Je ne sais pas comment elle se fait appeler
d'ordinaire, mais son satané frère, le type au faux col
qui se boutonne par-derrière, est connu dans le milieu
sous le nom de Sid le Mielleux.

Elle cligna des yeux.

— Mlle Hemmingway, une voleuse! Je... je...
Elle s'arrêta et me regarda d'un air déconfit.

— Mais comment as-tu fait pour retrouver ces
perles, mon petit Bertie?

— Peu importe, répondis-je sèchement. J'ai mes
méthodes.

Réunissant toutes mes réserves de courage viril, je
murmurai une courte prière et entrepris de lui dire ses
quatre vérités.

— Sacré nom d'une pipe, Tante Agatha, commençai-je d'un air sévère, je pense que vous avez été d'une
imprudence infernale. Il y a dans chaque chambre de
cet hôtel un avis imprimé recommandant de déposer
tout objet de valeur dans le coffre qui se trouve dans le
bureau du directeur, et vous n'avez pas voulu en tenir
compte. Et quel est le résultat? Le premier voleur
venu n'avait qu'à entrer dans votre chambre et à faire
main basse sur vos perles. Après quoi, au lieu de
reconnaître vos torts, vous volez dans les plumes de ce
pauvre homme. Vous avez été très, très injuste avec
lui.

54

— Oui, oui, gémit le pauvre homme.

— Et cette malheureuse fille? Que devient-elle dans tout ça? Vous l'avez accusée d'avoir volé vos perles sans la moindre preuve. Il me semble qu'elle serait joliment bien avisée de vous poursuivre en justice pour... quel que soit le terme exact, et d'exiger de substantiels dommages et intérêts.

— *Mais oui, mais oui, c'est trop fort!* cria le Chef des Bandits, me soutenant d'un cœur irréprochable.

Et la femme de chambre leva les yeux avec espoir, comme si un rayon de soleil perçait enfin les nues.

— Je la dédommagerai, dit Tante Agatha d'une voix faible.

— Un bon conseil, faites-le sans trop tarder, sapristi. Sa cause est solide, et à sa place je n'accepterais pas moins de vingt livres. Mais ce qui me contrarie le plus, c'est la façon dont vous avez injustement traité ce pauvre homme et essayé de ternir la réputation de son hôtel...

— Oui, sapristi! C'est trop fort! s'écria la merveille moustachue. Espèce de vieille femme imprudente! Vous ternissez la réputation de mon hôtel, oui ou non? Demain, vous quittez mon hôtel, sacrebleu!

Il ajouta quelques imprécations du même tonneau, puis, ayant dit ce qu'il avait à dire, il se retira, en entraînant avec lui la femme de chambre, laquelle tenait dans sa main serrée comme un étau un billet de dix livres craquant neuf. Je suppose que le bandit et elle se partagèrent la somme une fois dehors. Il est peu probable qu'un directeur d'hôtel français ait laissé partir ainsi de la bonne oseille sans se servir au passage.

Je me tournai vers Tante Agatha, dont l'attitude évoquait maintenant celle d'un individu qui, cueillant des pâquerettes sur la voie ferrée, vient de se prendre l'express de Liverpool dans le bas du dos.

— Je ne tiens pas à retourner le couteau dans la plaie, Tante Agatha, dis-je avec froideur, mais je voudrais tout de même vous faire remarquer avant de partir que la fille qui a volé vos perles est celle-là même que vous vous êtes acharnée depuis mon arrivée à pousser dans mes bras. Seigneur ! Vous rendez-vous compte que si vous aviez réussi, j'aurais sans doute eu des enfants qui m'auraient piqué ma montre pendant que je les faisais sauter sur mes genoux ? Je n'ai pas l'habitude de me plaindre, mais j'espère vraiment qu'à l'avenir vous y réfléchirez à deux fois avant de m'inciter à me marier.

Je dardai sur elle un regard sévère, tournai les talons, et quittai la pièce.

— Dix heures du soir, une nuit étoilée, et tout va bien, Jeeves, dis-je en rentrant le cœur léger dans ma bonne vieille suite.

— J'en suis heureux, Monsieur.

— Si vingt livres pouvaient vous être utiles, Jeeves...

— Je remercie beaucoup Monsieur.

Il y eut un silence. Et alors — oui, ce fut un déchirement, mais je m'exécutai. J'ôtai ma ceinture et la lui tendis.

— Monsieur désire-t-il que je repasse ceci ?

Je regardai une dernière fois l'objet, avec regret. J'y avais été très attaché.

— Non, répondis-je, emportez cette ceinture ; donnez-la à un pauvre méritant — je ne la porterai plus jamais.

— Merci beaucoup, Monsieur, dit Jeeves.

5

L'ORGUEIL DES WOOSTER EST BLESSÉ

S'il y a une chose que j'aime par-dessus tout, c'est bien une existence tranquille. Je ne suis pas de ces types qui deviennent nerveux et déprimés dès que leur vie cesse d'être mouvementée. Pour moi, elle n'est jamais trop calme. Donnez-moi des repas réguliers, un bon spectacle avec de la musique correcte de temps en temps, un ou deux copains avec qui traîner ici ou là, et je n'en demande pas plus.

C'est pourquoi le choc, quand il vint, fut si terriblement désagréable. Car enfin, j'étais revenu de Roville avec le sentiment que plus rien désormais ne surgirait pour m'embêter. Je me disais qu'il faudrait au moins une année pour que Tante Agatha se remette de l'affaire Hemmingway ; et hormis Tante Agatha, presonne ne se donne vraiment la peine de me tourmenter. Il me semblait que le ciel était dégagé, en quelque sorte, et qu'aucun nuage ne se profilait à l'horizon.

Je ne me doutais guère que... Bon, écoutez, voici ce qui arriva, et je vous demande un peu s'il n'y avait pas là de quoi faire perdre ses moyens à n'importe quel quidam.

Une fois l'an, Jeeves prend deux semaines de

vacances et file à la mer ou je ne sais où pour se refaire une santé. Pour moi, c'est plutôt un sale moment à passer, naturellement. Mais il faut bien tenir le coup, alors je tiens le coup. D'ailleurs, je dois admettre qu'il s'arrange en général pour dénicher un type convenable pour s'occuper de moi en son absence.

Ce moment était donc revenu, et Jeeves se trouvait dans la cuisine en train de faire quelques recommandations à sa doublure. Ayant besoin d'un timbre ou quelque chose comme ça, je m'engageai dans le couloir pour le lui demander. L'imbécile avait laissé la porte de la cuisine ouverte, et je n'avais pas fait deux pas que sa voix m'arrivait droit dans les tympans.

— Vous verrez, disait-il au remplaçant, M. Wooster est un jeune homme extrêmement agréable et aimable, mais pas intelligent. Certainement pas intelligent. Côté cervelle, il est négligeable — tout à fait négligeable !

Enfin — je veux dire — enfin quoi !

Je suppose qu'à proprement parler j'aurais dû faire irruption dans la pièce et passer un savon à cet idiot sans ménager ma voix. Mais je doute qu'il soit humainement possible de passer un savon à Jeeves. Personnellement, je n'ai même pas essayé. J'ai simplement demandé mon chapeau et ma canne sur un ton un peu sec et je suis parti. Mais j'en avais gros sur la patate, si vous voyez ce que je veux dire. Nous autres Wooster n'oublions pas facilement. C'est-à-dire que nous oublions bien certaines choses — les rendez-vous, les anniversaires à souhaiter, les lettres à poster, ce genre de truc — mais pas une sortie de ce calibre. Je ruminais comme un beau diable.

Je ruminais toujours lorsque je m'arrêtai dans le troquet de Buck pour prendre un remontant vite fait.

J'en avais un besoin assez urgent, car j'allais déjeuner chez Tante Agatha. Une épreuve plutôt rude, vous pouvez m'en croire, même si je supposais qu'après ce qui était arrivé à Roville elle se montrerait d'une humeur relativement adoucie et aimable. Je venais de lamper un godet en vitesse, et un autre un peu plus lentement, et je me sentais aussi gaillard que possible compte tenu des circonstances, quand une voix étouffée que je situai au nord-est m'interpella, et, me retournant, je vis le jeune Bingo Little adossé dans un coin, qui engouffrait un sandwich au fromage de taille respectable.

— Hé ! salut ! dis-je. Il y a bien longtemps qu'on ne t'a vu. Tu n'es pas dans le coin en ce moment ?

— Non. J'habite à la campagne.

— Hein ? fis-je, car il était bien connu que Bingo détestait la campagne. Où ça ?

— Dans le Hampshire, un endroit qui s'appelle Ditteredge.

— Pas possible ? Je connais des gens qui ont une maison là-bas. Les Glossop. Tu les as déjà rencontrés ?

— Mais c'est chez eux que j'habite ! s'exclama le jeune Bingo. Je suis le précepteur de leur fils.

— Pourquoi donc ? dis-je.

Je m'imaginais difficilement le jeune Bingo en précepteur, quoique, bien sûr, il soit plus ou moins diplômé d'Oxord, et je suppose qu'il y a toujours des gens qu'on peut abuser pendant un certain temps.

— Pourquoi ? Pour l'argent, évidemment ! Un coup superbe a foiré dans la deuxième course à Haydock, me confia le jeune Bingo, non sans quelque amertume, et j'y ai laissé tout mon fric du mois. Je n'ai pas osé taper encore mon oncle, par conséquent il ne me restait plus qu'à courir à l'agence de l'emploi. Ça fait trois semaines que je suis là-bas, à la campagne.

— Je ne connais pas le fils Glossop.

— Veinard ! fit laconiquement Bingo.

— A vrai dire, le seul membre de la famille que je connaisse, c'est la fille.

A peine eus-je prononcé ces paroles que la figure du jeune Bingo se transforma d'une façon extraordinaire. Ses yeux sortirent à demi de leur orbite, ses joues s'empourprèrent et sa pomme d'Adam tressauta comme une balle en caoutchouc sur un jet d'eau dans un stand de tir.

— Oh ! Bertie ! murmura-t-il d'une voix qui s'étranglait.

Je regardai le pauvre garçon avec inquiétude. Je savais qu'il n'arrêtait pas de tomber amoureux, et pourtant il me semblait improbable que même un jobard comme lui ait pu tomber amoureux d'Honoria Glossop. A mes yeux, cette fille n'était ni plus ni moins qu'une fiole de poison. Une de ces sacrées femelles robustes, futées, actives et dynamiques que l'on voit tant de nos jours. Elle avait fait ses études à Girton, où elle avait non seulement développé son cerveau dans des proportions affolantes, mais aussi pratiqué toutes sortes de sports et acquis le physique d'une catcheuse poids moyen. Je ne suis même pas sûr qu'elle n'ait pas boxé pour la fac quand elle était là-bas. Chaque fois que je la voyais, j'éprouvais le désir de me glisser dans une cave et d'y rester planqué jusqu'à ce qu'on sonne la fin d'alerte.

Malgré tout, le jeune Bingo était manifestement épris d'elle. Il n'y avait pas à s'y tromper. Une lueur amoureuse brillait dans les yeux du pauvre bougre.

— Je l'adore, Bertie ! Je vénère jusqu'au sol que son pied a touché ! continua le patient d'une voix forte et perçante.

Fred Thompson et un ou deux autres types étaient entrés, et McGarry, le gars derrière le bar, ne perdait pas une miette de ce qui se disait. Mais Bingo n'est pas du genre cachottier. Il me fait toujours penser à un héros de comédie musicale qui se plante au beau milieu de la scène, rassemble tous ses copains autour de lui, et leur raconte son amour par le menu en chantant à tue-tête.

— Tu lui en as parlé?

— Non. Le courage me manque. Mais souvent le soir on se promène ensemble dans le jardin, et parfois il me semble qu'elle me regarde d'une manière un peu appuyée.

— Je connais ce regard. C'est celui d'un sergent-major.

— Mais pas du tout! C'est celui d'une tendre déesse.

— Une seconde, mon vieux, dis-je. Tu es sûr qu'on parle de la même fille? Celle à qui je pense s'appelle Honoria. Peut-être qu'elle a une sœur cadette, par exemple, dont j'ignorerais l'existence?

— Mais non, c'est elle, Honoria! beugla Bingo sur un ton d'infini respect.

— Et elle te fait l'effet d'une tendre déesse?

— Parfaitement.

— Dieu te protège! dis-je.

— Elle est majestueuse et belle comme la nuit des cieux clairs et étoilés, et les sortilèges des ténèbres se joignent dans sa personne et dans ses yeux à ceux de la lumière. Un autre sandwich au fromage, ajouta-t-il à l'intention du jeune gars derrière le bar.

— Tu ne te laisses pas aller, observai-je.

— C'est mon déjeuner. Je dois retrouver Oswald à la gare de Waterloo à une heure et quart pour reprendre le train. Je l'ai amené en ville chez le dentiste.

— Oswald? C'est le môme?

— Oui. Une vraie peste.

— Une vraie peste! Ça me fait penser que je déjeune chez ma tante Agatha. Il faut que je me sauve maintenant, sinon je serai en retard.

Je n'avais pas revu Tante Agatha depuis cette petite histoire de perles; je me doutais certes que casser la croûte en sa compagnie ne serait pas follement amusant, et pourtant il y avait un sujet de conversation que, j'en étais à peu près sûr, elle n'aborderait pas, et c'était celui de mon avenir matrimonial. Car enfin, lorsqu'une femme fait une gaffe comme celle de Tante Agatha à Roville, on pense naturellement qu'un sentiment de décence élémentaire l'incitera à se tenir tranquille, du moins pendant un mois ou deux.

Mais les femmes n'ont pas fini de m'épater. Je veux dire, pour ce qui est du culot. Vous ne le croirez peut-être pas, mais elle passa à l'attaque dès le poisson. Parfaitement, dès le poisson, je vous en donne ma parole d'honneur. Nous avions à peine échangé quelques mots sur le temps qu'elle me sortait sans rougir la tirade suivante :

— Bertie, dit-elle, j'ai encore réfléchi à toi et à la nécessité d'envisager ton mariage. Je reconnais volontiers que je me suis affreusement trompée au sujet de cette fille odieuse et hypocrite de Roville, mais cette fois il n'y a aucun risque d'erreur. J'ai eu la chance et le bonheur de trouver la femme qu'il te faut, une jeune fille que je n'ai rencontrée que dernièrement, mais dont la famille est tout ce qu'il y a de bien. Elle est riche aussi, mais dans ton cas ça n'a pas d'importance. Le principal, c'est qu'elle ait du caractère, des ressources et du bon sens, et qu'elle puisse compenser

les déficiences et les faiblesses de ton propre caractère. Elle te connaît ; et, bien qu'elle soit loin de te
trouver parfait, tu ne lui déplais pas. Je le sais, car j'ai
tâté le terrain — avec précaution, bien sûr — et je suis
certaine que tu n'as qu'à prendre les devants...

— Qui est-ce ?

J'aurais dit cela bien plus tôt, si le choc ne m'avait
pas fait avaler de travers un morceau de pain ; je venais
seulement d'en finir avec mes brusques changements
de couleur et mes efforts pour réintroduire un peu
d'air dans ces bonnes vieilles bronches. Elle répondit :

— La fille de Sir Roderick Glossop, Honoria.

— Non, non ! criai-je, pâlissant sous mon hâle.

— Un peu de jugeote, Bertie. C'est exactement la
femme qu'il te faut.

— Oui, mais je...

— Elle te façonnera.

— Mais je ne veux pas être façonné !

Tante Agatha me lança un regard qui me rappela
celui qu'elle me lançait quand j'étais gosse et qu'elle
m'avait surpris dans le buffet aux confitures.

— Bertie ! J'espère que tu ne vas pas poser de
problème ?

— C'est-à-dire que...

— Lady Glossop t'a très gentiment invité à passer
quelques jours au manoir de Ditteredge. Je lui ai dit
que tu serais ravi d'y aller demain.

— Désolé, mais j'ai un rendez-vous rudement
important demain.

— Quel rendez-vous ?

— Eh bien... euh...

— Tu n'as aucun rendez-vous. Et même si tu en as
un, tu n'as qu'à le repousser. Je serais vraiment très
contrariée, Bertie, si tu n'allais pas demain au manoir
de Ditteredge.

— Oh! bon, d'accord, dis-je.

Moins de deux minutes après que j'eus quitté Tante Agatha, le vieil esprit combatif des Wooster reprenait déjà le dessus. Si épouvantable que fût le péril qui me menaçait, j'étais conscient d'une curieuse sorte d'allégresse. Certes je me trouvais dans une mauvaise passe, mais j'avais le sentiment que plus la passe était mauvaise, plus ma victoire sur Jeeves, lorsque je me tirerais d'affaire sans la moindre aide de sa part, serait délicieuse. Normalement, bien sûr, je l'aurais consulté en me fiant à lui pour résoudre le problème. Mais après ce que je l'avais entendu dire dans la cuisine, je voulais être pendu si j'allais m'abaisser ainsi. De retour à la maison, je m'adressai à lui de mon air le plus désinvolte :

— Jeeves, dis-je, j'ai un petit ennui.

— J'en suis désolé, Monsieur.

— Oui, plutôt une sale histoire. En fait, je suis comme qui dirait au bord de l'abîme, et voué à un sort horrible.

— Si je puis être utile en quoi que ce soit à Monsieur...

— Oh! non. Non, non. Merci beaucoup mais non, non. Je ne veux pas vous déranger. Je suis certain que je peux m'en sortir tout seul.

— Très bien, Monsieur.

Et voilà. Je dois dire que je m'attendais à un peu plus de curiosité de sa part, mais c'est Jeeves tout craché. Surtout ne rien laisser paraître de ses émotions, vous voyez le genre.

Honoria n'était pas là quand j'arrivai à Ditteredge le lendemain après-midi. Sa mère me dit qu'elle était allée voir des gens des environs qui s'appelaient

Braythwayt, et qu'elle reviendrait le lendemain en amenant avec elle la fille de cette famille pour une visite. Elle ajouta que je trouverais Oswald dans le parc, et — tel est l'amour maternel — elle parlait comme si cela conférait au parc une sorte de plus-value et un attrait supplémentaire.

Pas mal du tout, d'ailleurs, le parc de Ditteredge. Deux terrasses, un bout de pelouse avec un cèdre au milieu, quelques arbustes, et enfin un lac, petit mais plaisant, que traverse un pont de pierre. Dès que j'eus contourné le bosquet, j'aperçus le jeune Bingo qui, appuyé au pont, fumait une cigarette. Un garnement était assis sur le parapet et pêchait ; il s'agissait vrai-semblablement d'Oswald-la-Petite-Peste.

Bingo fut à la fois surpris et ravi de me voir, et me présenta au gamin. Si ce dernier fut également surpris et ravi, il le dissimula comme un diplomate. Il me regarda, leva légèrement les sourcils, puis retourna à ses occupations. C'était un de ces jeunots pleins de morgue qui vous donnent l'impression que vous n'êtes pas allé à la bonne école ou que vos vêtements ne sont pas de la bonne taille.

— Voilà Oswald, dit Bingo.

— Enchanté, vraiment, fis-je avec cordialité. Comment allez-vous ?

— Oh ! ça va, marmonna le môme.

— C'est chouette, ici.

— Oh ! ça va.

— Vous vous amusez bien ?

— Oh ! ça va.

Le jeune Bingo m'entraîna à l'écart pour une conversation privée.

— Le bavardage incessant de ce brave Oswald ne te donne-t-il jamais mal à la tête ? m'enquis-je.

Bingo soupira.

— C'est une rude tâche.

— Qu'est-ce qui est une rude tâche ?

— D'aimer ce gosse.

— Parce que tu l'aimes ? m'étonnai-je. Je n'aurais pas cru cela possible.

— J'essaie, dit le jeune Bingo — pour Elle. Elle revient demain, Bertie.

— C'est ce qu'on m'a dit.

— Elle revient — mon amour, mon...

— Certainement, l'interrompis-je. Mais occupons-nous plutôt du jeune Oswald. Est-ce que tu dois rester avec lui toute la journée ? Comment arrives-tu à supporter ça ?

— Oh ! il ne me donne pas beaucoup de mal. Quand nous ne travaillons pas, il passe tout son temps assis sur ce pont à essayer d'attraper des vairons.

— Pourquoi ne le pousses-tu pas dans le lac ?

— Le pousser dans le lac ?

— Il me semble que c'est la seule chose à faire, dis-je en considérant le dos du galopin avec une bonne dose d'aversion. Ça le réveillerait un peu, et ça le forcerait à s'intéresser à quelque chose.

Bingo secoua la tête, quelque peu à regret.

— Ta proposition me séduit, dit-il, mais je crains que ce ne soit pas possible. Tu comprends, Elle ne me pardonnerait jamais. Elle adore le petit monstre.

— Saperlipopette ! m'écriai-je. J'ai une idée !

Je ne sais pas si vous connaissez cette sensation — quand vous avez une inspiration et qu'un frisson vous court tout le long du dos, depuis le col mou qu'on porte maintenant jusqu'aux semelles des vieilles godasses ? Je suppose que Jeeves fait ce genre d'expérience plus ou moins en permanence, mais à moi ça ne m'arrive pas souvent. Mais maintenant la nature tout entière semblait me crier « Génial ! », et j'empoignai le bras du jeune Bingo si violemment qu'il dut penser qu'un cheval l'avait mordu. Ses traits finement dessinés se tordirent de souffrance et ainsi de suite, et il me demanda à quoi diable je pouvais bien jouer.

— Bingo, dis-je, qu'est-ce que Jeeves aurait fait ?

— Comment ça, qu'est-ce que Jeeves aurait fait ?

— Eh bien, qu'est-ce qu'il aurait conseillé dans un cas comme le tien — je veux dire, avec toi qui tiens tant à produire une bonne impression sur Honoria Glossop et tout. Tu peux me croire, mon vieux, il te dirait de te planquer derrière ces fourrés là-bas ; à moi, il me dirait de me débrouiller pour attirer Honoria sur le pont, puis, le moment venu, d'administrer au gamin un bon coup dans le bas du dos pour le flanquer à l'eau ; alors tu n'aurais plus qu'à plonger et à le tirer de là. Qu'en dis-tu ?

— Tu n'as pas trouvé ça tout seul, Bertie ? balbutia le jeune Bingo, d'une voix que l'émotion étouffait.

— Mais si. Jeeves n'est pas le seul à avoir des idées.

— Mais c'est absolument fantastique !

— Une suggestion, rien de plus.

— La seule objection qui me vienne à l'esprit, c'est que ce serait drôlement embarrassant pour toi. Je veux dire, suppose que le gosse se retourne à temps et raconte ensuite que c'est toi qui l'as poussé, ça te rendra horriblement impopulaire auprès d'Elle.

— C'est un risque que j'accepte de courir.

Le gars était profondément ému.

— Bertie, c'est vraiment noble de ta part.

— Mais non, mais non.

Il serra ma main sans mot dire, puis il gloussa à la manière d'une baignoire qui se vide.

— Qu'est-ce qu'il y a? demandai-je.

— J'étais seulement, dit le jeune Bingo, en train d'imaginer Oswald trempé comme une serpillière. Oh! le beau jour!

6

LE HÉROS EST RÉCOMPENSÉ

Je ne sais pas si vous l'avez remarqué, mais c'est bizarre comme rien en ce monde ne semble être absolument parfait. L'inconvénient de ce plan par ailleurs singulièrement brillant était, bien sûr, que Jeeves ne serait pas là pour me voir en action. Mais, à part ça, il n'avait aucun défaut. Comprenez, la beauté de la chose était que rien ne pouvait aller de travers. Vous savez comment ça se passe en général, quand vous voulez que le quidam A soit à l'endroit B exactement au même moment que le quidam C est à l'endroit D. Il y a toujours un risque de micmac. Prenez le cas d'un général, par exemple, qui prépare une grande attaque. Il ordonne à un régiment de s'emparer de la colline avec le moulin à vent, au moment précis où un autre régiment enlèvera la tête de pont ou je ne sais quoi dans la vallée ; et tout finit par s'embrouiller. Et le soir, alors qu'ils discutent de la chose au campement, le colonel du premier régiment dit : « Oh ! pardon ! Vous aviez dit la colline avec le moulin à vent ? Je croyais qu'il s'agissait de celle avec le troupeau de moutons. » Et voilà ! Mais rien de tel ne pouvait se produire en l'occurrence, car Oswald et Bingo se trouveraient déjà sur les lieux, par conséquent tout ce dont j'avais à me soucier, c'était d'y amener Honoria au moment propice. Et j'y parvins le plus facilement du monde, en lui demandant si elle ne se laisserait pas tenter par une promenade dans le parc avec moi, car j'avais quelque chose à lui dire.

Elle était arrivée peu après le déjeuner, en voiture, avec la fille Braythwayt. J'avais été présenté à celle-ci, une fille assez grande, aux yeux bleus et aux cheveux blonds. Elle m'avait bien plu — elle était si différente d'Honoria — et, si j'en avais eu le temps, je n'aurais pas détesté bavarder un peu avec elle. Mais les affaires sont les affaires : il était convenu que Bingo serait derrière ses buissons à trois heures précises, aussi je mis le grappin sur Honoria et l'entraînai en direction du lac.

— Vous êtes bien silencieux, monsieur Wooster, dit-elle.

Cela me fit quelque peu tressaillir. J'étais alors en pleine concentration. Nous venions d'arriver en vue du lac, et j'observai soigneusement la scène pour m'assurer que tout était en ordre. Oui, tout semblait se passer comme prévu. Le môme Oswald était assis, le dos rond, sur son parapet ; et comme je ne voyais Bingo nulle part, je présumai qu'il s'était mis en position. Ma montre affichait trois heures et deux minutes.

— Hein ? lançai-je. Oh ! ah ! oui.

Je réfléchissais.

— Vous avez dit que vous aviez quelque chose d'important à me dire.

— Absolument !

J'avais décidé d'ouvrir les débats en défrichant le terrain, en quelque sorte, pour le jeune Bingo. C'est-à-dire que, sans mentionner aucun nom, je voulais préparer cette fille à la révélation que, si surprenant que cela parût, il y avait quelqu'un qui l'aimait à distance depuis longtemps, ce genre de balivernes.

— Voilà. Ça peut sembler bizarre et tout, mais il y a quelqu'un qui est terriblement amoureux de vous et ainsi de suite — un ami à moi, vous savez.

— Oh! un ami à vous?

— Oui.

Elle eut un petit rire.

— Eh bien, pourquoi ne m'en parle-t-il pas?

— C'est que, vous voyez, il est comme ça. C'est un garçon peu sûr de lui et comme qui dirait timoré. Il n'ose pas. Il pense que vous êtes tellement supérieure à lui — à vrai dire, il vous considère comme une sorte de déesse. Il vénère le sol que votre pied a touché, mais il n'a pas le cran de vous l'avouer.

— C'est très intéressant.

— Oui. Ce n'est pas le mauvais bougre, vous savez, à sa façon. Pas très malin, sans doute, mais bien intentionné. Voilà donc où nous en sommes. Vous pourriez peut-être y réfléchir, non?

— Comme vous êtes drôle!

Elle renversa la tête en arrière et rit avec une énergie considérable. Son rire était particulièrement pénétrant. On aurait dit un train qui entre dans un tunnel. En tout cas, il ne me parut pas excessivement mélodieux, et le môme Oswald, de toute évidence, n'en fut pas médiocrement agacé. Il nous lança un regard plein d'antipathie.

— Vous pourriez pas cesser ce fichu boucan, bougonna-t-il. Vous faites peur aux poissons.

Le charme fut un tantinet rompu. Honoria changea de sujet de conversation :

— J'aimerais bien qu'Oswald ne reste pas assis sur ce pont comme ça. Il pourrait facilement tomber.

— Je vais le lui dire.

Je suppose que la distance entre le gosse et moi à cet instant ne dépassait pas cinq mètres, mais j'eus l'impression qu'elle atteignait plutôt les cent mètres. Comme je m'engageais dans cet espace vide, j'eus le sentiment étrange d'avoir déjà vécu la même situation. Puis je me rappelai. Des années auparavant, lors d'une fête à la campagne, je m'étais laissé embringuer pour tenir le rôle d'un maître d'hôtel dans une représentation de théâtre amateur jouée au profit de je ne sais quelle affligeante œuvre de bienfaisance ; et j'avais dû ouvrir la séance en traversant toute la scène côté cour pour flanquer un plateau sur une table. On m'avait bien recommandé lors des répétitions de ne pas franchir cette distance au pas de charge, comme un type finissant très fort une épreuve de marche ; et le résultat fut que je freinai l'allure à un tel point qu'il me sembla que je n'arriverais jamais à cette foutue table. La scène paraissait s'étendre devant moi comme un désert sans piste, et il régnait un grand silence, comme si l'univers tout entier retenait son souffle pour mieux concentrer son attention sur ma personne. Eh bien, c'est précisément ce que je ressentais à présent. J'avais comme une boule sèche dans la gorge, et plus j'avançais, plus le gamin semblait s'éloigner. Et tout à coup je me trouvai juste derrière lui, sans savoir au juste comment j'étais arrivé jusque-là.

— Hello ! dis-je en arborant un pauvre sourire — en pure perte d'ailleurs, car le môme ne prit pas la peine de tourner la tête pour me regarder.

Son oreille gauche s'agita simplement, d'une manière qui dénotait une certaine maussaderie. Je ne me souvenais pas avoir jamais rencontré un individu aux yeux de qui je comptasse manifestement si peu.

— Hello ! Alors, on pêche ?

Je posai ma main sur son épaule, façon grand frère.

— Hé, faites gaffe ! s'exclama le gosse en se tortillant sur son séant.

C'était là une de ces choses qu'il faut accomplir très vite ou pas du tout. Je fermai les yeux et poussai. Un obstacle parut céder. Il y eut un bruit de râpe, une sorte de glapissement, un cri au loin, et un plouf. Et une éternité s'écoula, pour ainsi dire.

J'ouvris les yeux. Le mioche venait juste de refaire surface.

— A l'aide ! criai-je, en jetant un coup d'œil du côté des taillis d'où le jeune Bingo était censé émerger.

Rien ne se passa. Le jeune Bingo ne donna pas le moindre signe d'émergence.

— Ohé ! A l'aide ! criai-je à nouveau.

Je ne voudrais surtout pas vous assommer avec des souvenirs de ma carrière théâtrale, mais il me faut revenir un instant sur cette apparition que je fis en maître d'hôtel. Il avait été convenu que lorsque je poserais le plateau sur la table, l'héroïne arriverait et dirait quelques mots pour me renvoyer. Eh bien, ce soir-là, cette balourde oublia de se pointer, et il s'écoula une bonne minute avant que l'équipe chargée des recherches ne la déniche et la propulse en scène. Et pendant tout ce temps je dus rester là debout à attendre. Une sensation exécrable, croyez-moi — et voilà que j'éprouvais exactement la même, mais en pis. Je compris ce que ces types qui écrivent des bouquins veulent dire quand ils parlent du temps qui suspend son vol.

Pendant ce temps le môme Oswald se voyait vraisemblablement fauché à la fleur de l'âge, et je commençai à me dire que certaines mesures devaient être prises à son sujet. Ce que j'avais vu du garçon ne m'avait pas particulièrement conquis, mais sans aucun doute, le laisser ainsi rendre l'âme eût été un peu fort de café. Je ne pense pas avoir jamais rien vu de plus malpropre et déplaisant que l'eau de ce lac depuis le pont ; mais il n'y avait apparemment pas moyen d'y couper. Je me débarrassai de mon paletot et sautai par-dessus le parapet.

Il peut sembler bizarre que l'eau puisse paraître tellement plus humide quand vous y entrez tout habillé que quand vous prenez un bain, mais croyez-moi, il en est bien ainsi. Je ne restai sous la surface que trois secondes environ, je suppose, mais en remontant j'avais l'impression d'être un de ces corps dont on parle dans les journaux, qui « sont manifestement restés immergés pendant plusieurs jours ». Je me sentais détrempé et enflé.

C'est alors que le scénario prit à nouveau un tour imprévu. J'avais pensé qu'une fois revenu à la surface, j'empoignerais aussitôt le gosse pour le ramener bravement à terre. Mais il n'avait pas attendu d'être ramené. Lorsque j'eus fini d'expulser l'eau de mes yeux et que je pris le temps de regarder autour de moi, je le vis à une dizaine de mètres qui s'éloignait rapidement en utilisant ce qui me parut être le crawl australien. Ce spectacle me découragea complètement. Car enfin, l'essence même du sauvetage, si vous voyez ce que je veux dire, c'est que votre partenaire dans l'opération se tienne à peu près tranquille et au même endroit. S'il se met à nager de sa propre initiative et à se montrer capable de vous devancer de quarante mètres sur un cent mètres, de quoi avez-vous l'air ? L'entreprise tout entière tombe à l'eau, elle aussi. Il n'y avait apparemment rien de plus à faire qu'à regagner la rive, aussi regagnai-je la rive. Lorsque je pris pied sur la terre ferme, le môme était déjà à mi-chemin du manoir. Sous quelque angle qu'on la considérât, cette affaire était un naufrage.

Je fus interrompu dans ma méditation par un bruit qui évoquait l'express d'Edimbourg passant sous un pont. C'était Honoria Glossop qui riait. Elle se tenait tout près de moi et me dévisageait d'un air bizarre.

— Oh! Bertie, comme vous êtes drôle! s'exclama-t-elle.

Même en faisant la part des circonstances, j'eus le sentiment qu'il y avait dans ces mots quelque chose de funeste. Jusque-là, elle ne m'avait appelé que « Monsieur Wooster ».

— Vous êtes tout trempé! ajouta-t-elle.

— En effet.

— Vous feriez mieux de filer à la maison et de vous changer.

— Oui.

Je tordis mes vêtements et sept ou huit litres d'eau en sortirent.

— Vous êtes vraiment drôle! répéta-t-elle. D'abord, vous me demandez ma main de cette façon extraordinairement détournée, puis vous poussez le pauvre Oswald dans le lac pour pouvoir m'impressionner en le sauvant.

Je parvins à dégurgiter assez d'eau pour essayer de rectifier cet effrayant point de vue.

— Non, non!

— Il a dit que vous l'aviez poussé, et je vous ai vu le faire. Oh! je ne vous en veux pas, Bertie. Cela partait d'un si bon sentiment. Mais je suis certaine qu'il est grand temps que j'intervienne. Il faut absolument que quelqu'un s'occupe de vous. Vous allez trop au cinéma. Je suppose qu'après cela vous auriez mis le feu à la maison pour pouvoir me tirer des flammes.

Elle me considéra d'un air de propriétaire.

— Je crois, continua-t-elle, que je pourrai faire quelque chose de vous, Bertie. Il est vrai que vous avez gâché votre vie jusqu'à présent, mais vous êtes encore jeune, et il y a beaucoup de bon en vous.

— Oh! non, il n'y en a pas du tout.

— Mais si, mais si. Il faut simplement l'aider à sortir. Maintenant, courez à la maison et changez-vous, sinon vous allez attraper froid.

Et il y avait dans sa voix, si vous voyez ce que je veux dire, une sorte de note maternelle qui semblait m'avertir, plus encore que les mots eux-mêmes, que j'étais fait comme un rat.

Comme je descendais l'escalier après m'être changé, je tombai sur le jeune Bingo, qui avait l'air on ne peut plus réjoui.

— Bertie! dit-il. Je voulais justement te voir. Bertie, il m'est arrivé une chose merveilleuse.

— Espèce d'idiot! m'écriai-je. Qu'est-ce que tu fabriques? Est-ce que tu sais que...

— Oh! tu veux parler de cette histoire de buissons? Je n'ai pas eu le temps de te le dire, mais ça ne marche plus.

— Comment ça, ça ne marche plus?

— Bertie, je me préparais justement à me cacher dans ces buissons quand quelque chose de fantastique s'est produit. J'ai vu, traversant la pelouse, la fille la plus éblouissante, la plus belle de l'univers. Aucune ne lui ressemble, aucune. Bertie, est-ce que tu crois au coup de foudre? Tu crois au coup de foudre, hein, mon vieux Bertie? Dès que je l'ai vue, ç'a été comme

76

si elle m'attirait avec un aimant, et comme si rien d'autre n'existait plus. Nous étions seuls tous les deux dans un monde d'harmonie et de lumière. Je me suis approché d'elle et je lui ai parlé. Elle s'appelle Mlle Braythwayt, Bertie — Daphné Braythwayt. Dès que nos yeux se sont rencontrés, j'ai compris que ce que j'avais imaginé être mon amour pour Honoria Glossop n'était rien de plus qu'une passade. Bertie, tu crois au coup de foudre, hein ? Elle est si merveilleuse, si compréhensive. Comme une tendre déesse...

Coupant court, je quittai l'animal.

Deux jours plus tard, je reçus une lettre de Jeeves. Elle se terminait ainsi :

« ... Il fait toujours très beau. J'ai pris un bain extrêmement agréable. »

J'eus un de ces rires creux et sans joie, et je descendis retrouver Honoria, comme convenu, au salon où elle devait me faire étudier Ruskin.

7

CLAUDE ET EUSTACHE ENTRENT EN SCÈNE

Le couperet tomba à treize heures quarante-cinq exactement (heure d'été). Spenser, le maître d'hôtel de Tante Agatha, était alors en train de me présenter les pommes de terre frites, et mon émotion fut telle que j'en propulsai six jusque sur le buffet avec ma cuiller. Vous comprenez, ça m'avait rudement secoué.

Notez que j'étais déjà passablement affaibli. Il y avait presque deux semaines que j'étais fiancé à Honoria Glossop, et pendant tout ce temps il ne s'était pas passé un jour sans qu'elle me fît travailler comme un forçat dans le but de me « façonner », pour reprendre le mot de Tante Agatha. J'avais lu de la littérature sérieuse jusqu'à ce que mes yeux larmoient ; nous avions parcouru ensemble des kilomètres de galeries de peinture ; et j'avais dû subir des concerts de musique classique dans des proportions que vous auriez du mal à imaginer. Si bien que je n'étais guère en état de recevoir des chocs, et encore moins des chocs de cette nature. Honoria m'avait traîné chez Tante Agatha pour déjeuner, et je venais juste de me dire « Ô Mort, comme tu me serais douce », lorsqu'elle lâcha sa bombe.

— Bertie, demanda-t-elle tout à coup, comme si

elle venait seulement de s'en souvenir, comment s'appelle donc ce domestique que vous avez — ce valet?

— Hein? Oh, Jeeves?

— Je pense qu'il a une mauvaise influence sur vous. Quand nous serons mariés, vous devrez vous défaire de Jeeves.

C'est à ce moment-là que j'envoyai d'une secousse six excellentes et croustillantes frites en direction du buffet. Spenser se lança aussitôt à leur poursuite en gambadant à la manière d'un vieux chien d'arrêt plein de dignité.

— Me défaire de Jeeves! m'étranglai-je.

— Oui. Je ne l'aime pas.

— Moi non plus, dit Tante Agatha.

— Mais c'est impossible. Je... je ne pourrais pas me passer de Jeeves un seul jour...

— Il le faudra bien, affirma Honoria. Je ne l'aime pas du tout.

— Moi non plus, répéta Tante Agatha. Je ne l'ai jamais aimé.

Consternant, non? J'avais toujours plus ou moins pensé que le mariage était une sorte de calamité, mais je n'avais jamais imaginé qu'il exigeait de vous des sacrifices aussi effroyables. Je passai le reste du repas dans une espèce de torpeur.

Il avait été convenu, si ma mémoire est bonne, qu'après déjeuner j'accompagnerais Honoria dans les magasins de Regent Street pour porter ses paquets; mais lorsqu'elle se leva de table et se mit à rassembler ses affaires, dont je faisais apparemment partie, Tante Agatha l'arrêta.

— Allez devant, ma chérie, dit-elle. Je voudrais dire quelques mots à Bertie.

Honoria s'en fut donc. Tante Agatha approcha sa chaise de la mienne et commença à parler.

— Bertie, notre chère Honoria l'ignore, mais une petite difficulté est survenue au sujet de ton mariage.

— Sapristi! Pas possible? fis-je, déjà tout frémissant d'espoir.

— Oh! ce n'est rien, naturellement. C'est seulement un peu irritant. Pour tout dire, Sir Roderick a tendance à vouloir faire des histoires.

— Il pense que je ne suis pas le bon cheval? Il veut déchirer son ticket? Bah, il a peut-être raison.

— Je t'en prie, ne dis pas de bêtises, Bertie. Il ne s'agit de rien de tel. Mais la nature même de la profession de Sir Roderick le rend malheureusement... trop circonspect.

Je ne comprenais pas.

— Trop circonspect?

— Oui. Je suppose que c'est inévitable. Un spécialiste des nerfs avec une clientèle aussi importante ne peut guère s'empêcher d'avoir de l'humanité une image quelque peu déformée.

Maintenant je voyais où elle voulait en venir. On appelle toujours Sir Roderick Glossop, le père d'Honoria, un spécialiste des nerfs, parce que ça sonne mieux, mais chacun sait qu'en réalité c'est une sorte de gardien de maison de fous. Par exemple, quand votre oncle le Duc commence à sentir un peu la fatigue et que vous le surprenez dans le salon bleu en train de s'enfoncer des pailles dans les cheveux, la première personne que vous appelez est le vieux Glossop. Il s'amène, jette un coup d'œil au patient, parle de système nerveux surmené, et recommande un repos complet, de la solitude, ce genre de chose. Toutes les familles chic de la région, pour ainsi dire, ont fait appel à lui à un moment ou à un autre, et je suis enclin à croire que dans ce genre de situation — je veux dire, en étant sans arrêt obligé de s'asseoir sur la tête des gens pendant que leurs chers parents téléphonent à l'asile pour qu'on envoie l'ambulance — un type ait tendance à acquérir ce qu'on peut appeler une image déformée de l'humanité.

— Vous voulez dire qu'à son avis je pourrais bien être marteau, et qu'il ne veut pas d'un gendre marteau? demandai-je.

Tante Agatha parut plus agacée qu'autre chose par mon impitoyable lucidité.

— Bien sûr qu'il ne pense rien d'aussi ridicule. Je t'ai dit qu'il péchait simplement par excès de prudence. Il désire s'assurer que tu es parfaitement normal.

Elle s'arrêta, car Spenser était entré avec le café. Quand il fut reparti, elle continua :

— Il semble qu'il ait eu vent de je ne sais quelle histoire extraordinaire selon laquelle tu aurais poussé son fils Oswald dans le lac au manoir de Ditteredge. Impensable, naturellement. Même toi tu pourrais difficilement faire une chose pareille.

— A vrai dire, je me suis bien appuyé un peu sur lui, comme ça, et il a glissé du parapet.

— Oswald t'accuse formellement de l'avoir poussé à l'eau. Cela a troublé Sir Roderick, et malheureusement il a pris ses renseignements et il a découvert des choses au sujet de ton pauvre oncle Henry.

Elle me lança un regard plein de gravité, et but avec recueillement une gorgée de café. Nous étions en train de lever un coin du voile qui dissimulait un bon vieux secret de famille. Voyez-vous, feu mon oncle Henry est comme qui dirait une tache sur le blason des

Wooster. Un très brave type au demeurant, et qui s'était toujours attiré ma sympathie quand j'étais écolier par sa magnifique générosité en matière d'argent de poche. Mais il est incontestable qu'il agissait parfois bizarrement — par exemple, il avait onze lapins dans sa chambre. Et je suppose qu'un puriste aurait pu le considérer comme étant plus ou moins timbré. A vrai dire, pour être tout à fait franc, il termina sa carrière, heureux jusqu'au bout, complètement entouré de lapins, dans une quelconque maison spécialisée.

— C'est absurde, évidemment, continua Tante Agatha. Si quelqu'un dans la famille avait hérité du caractère excentrique de ce pauvre Henry — car ce n'était rien de plus —, ç'aurait été Claude et Eustache, et il ne pourrait exister deux garçons plus brillants.

Claude et Eustache étaient jumeaux, et tout gosses ils avaient été dans la même école que moi pendant le troisième trimestre de ma dernière année. En me rappelant cette époque, il me sembla que l'adjectif « brillant » les décrivait assez bien. Dans mon souvenir, j'avais passé le trimestre tout entier à les extraire d'une succession d'effrayantes batailles.

— Regarde comme ça marche bien pour eux à Oxford. Ta tante Emily a reçu une lettre de Claude l'autre jour, disant qu'ils espéraient être bientôt membres d'un très important club universitaire, le Club des Chercheurs.

— Des Chercheurs ? m'étonnai-je, car il n'y avait à ma souvenance aucun club de ce nom lors de mon propre séjour à Oxford. Qu'est-ce qu'ils cherchent ?

— Claude ne l'a pas dit. La Vérité ou le Savoir, je suppose. C'est à l'évidence un club de tout premier ordre, car Claude a ajouté que Lord Rainsby, le fils du comte de Datchet, faisait partie des postulants. Mais nous nous écartons du sujet. Sir Roderick souhaite avoir une petite discussion privée avec toi. Et je compte sur toi, Bertie, pour être — je ne dirai pas intelligent, mais du moins raisonnable. Pas de gloussements nerveux, et essaie d'effacer cet horrible regard vitreux ; ne bâille pas, ne te trémousse pas ; et rappelle-toi que Sir Roderick est le Président de la section « Londres Ouest » de la ligue antijeux, alors, s'il te plaît, ne parle surtout pas de chevaux. Il se rendra à ton appartement demain à une heure et demie pour déjeuner. Rappelle-toi aussi qu'il ne boit pas de vin, n'approuve pas l'usage du tabac, et ne mange que la nourriture la plus simple, à cause de sa mauvaise digestion. Ne lui propose pas de café, car pour lui ce breuvage est la cause de la moitié des troubles nerveux dans le monde.

— Je suppose qu'un biscuit pour chien avec un verre d'eau devrait suffire, non ?

— Bertie !

— Oh ! d'accord. Simple persiflage.

— C'est justement le genre de remarque qui serait le plus susceptible d'éveiller les pires soupçons de la part de Sir Roderick. Je t'en prie, tâche de t'abstenir de toute sotte désinvolture quand tu seras avec lui. C'est un homme très sérieux... Tu t'en vas ? Bon, souviens-toi de ce que je t'ai dit. Je compte sur toi, et si quelque chose tourne mal, je ne te pardonnerai jamais.

— D'aaac-cord ! fis-je.

Et je rentrai chez moi, avec une belle journée en perspective.

Je pris mon déjeuner assez tard le lendemain matin, puis je sortis faire un petit tour. Il me semblait que je devais me secouer pour m'éclaircir les méninges, et un peu d'air frais dissipe généralement cette espèce de brume dans laquelle vous naviguez en commençant un nouveau jour. J'avais marché dans le parc, et j'étais revenu jusqu'à Hyde Park Corner, quand un individu me lança une grande bourrade entre les omoplates. C'était le jeune Eustache, mon cousin. Il était bras dessus bras dessous avec deux autres zigs, celui à l'extérieur étant mon cousin Claude, et celui du milieu un type aux joues roses, aux cheveux clairs, qui avait en permanence l'air de s'excuser.

— Bertie, vieille branche! s'exclama affablement Eustache.

— Salut! répondis-je, sans excès de bonne humeur.

— C'est chouette de tomber sur toi comme ça — toi, le seul gars à Londres qui puisse nous soutenir dans ce style de vie qui est le nôtre! A propos, tu ne connais pas ce vieux Bouledogue, je pense? Bouledogue, voilà mon cousin Bertie. Lord Rainsby — monsieur Wooster. Nous revenons de chez toi, Bertie. Nous avons été très déçus que tu sois sorti, mais fort bien traités par ce vieux Jeeves. Cet homme est une perle, Bertie. Surtout ne le perds pas.

— Qu'est-ce que vous faites à Londres? m'enquis-je.

— Oh! rien qu'un petit saut pour la journée, en douce, absolument rien d'officiel. Retour discret par le train de trois heures dix. Et maintenant, au sujet de ce déjeuner que tu as très aimablement offert de nous payer, où irons-nous? *Ritz*? *Savoy*? *Carlton*? A moins que tu ne sois un membre du *Ciro* ou des *Ambassadeurs*, ce qui nous conviendrait aussi bien.

— Je ne peux pas vous inviter à déjeuner. J'ai un rendez-vous urgent. Et sapristi, dis-je en regardant ma montre, je suis en retard. Désolé, ajoutai-je après avoir appelé un taxi.

— Alors, entre copains, dit Eustache, prête-nous un billet de cinq.

Je n'avais pas le temps de discuter. Je leur filai le billet et sautai dans le taxi. Il était deux heures moins vingt quand je franchis la porte de mon appartement. Je bondis au salon, mais il était vide.

Jeeves se matérialisa dans la pièce.

— Sir Roderick n'est pas encore arrivé, Monsieur.

— Tant mieux! Je croyais que je le trouverais en train de casser tous les meubles.

Mon expérience m'a appris que moins vous désirez voir un individu, plus vous pouvez être sûr qu'il se pointera à l'heure, et j'avais vu en esprit le vieux faisant les cent pas sur le tapis du salon, répétant « Il n'arrive pas! » et d'une façon générale sentant la moutarde lui monter au nez.

— Est-ce que tout est prêt?

— Je pense que Monsieur sera satisfait.

— Qu'est-ce que vous nous avez préparé?

— Consommé froid, une côtelette, et un dessert, Monsieur. Avec de la citronnade glacée.

— Bon, je ne vois pas ce qui pourrait l'incommoder là-dedans. Surtout, ne vous laissez pas gagner par l'excitation du moment et ne vous mettez pas à lui apporter du café!

— Non, Monsieur.

— Et pas de regard vitreux, sinon vous risquez de vous retrouver dans une cellule capitonnée avant d'avoir dit « ouf ».

— Très bien, Monsieur.

La sonnerie de l'entrée retentit.

— Prêt, Jeeves? C'est parti!

8

LE DÉJEUNER AVEC SIR RODERICK

J'avais déjà rencontré Sir Roderick, bien sûr, mais toujours en compagnie d'Honoria ; et il y a quelque chose en elle qui fait paraître presque toute personne présente dans la même pièce en quelque sorte rabougrie et banale en comparaison. Je ne m'étais jamais rendu compte, avant cet instant, de l'aspect extraordinairement imposant de ce vieux hibou. Ses sourcils broussailleux donnaient à son regard une de ces expressions scrutatrices qui ne sont pas du tout le genre de chose qu'un quidam souhaite affronter le ventre vide. Il était plutôt grand et fort, et il avait une tête vraiment énorme et presque chauve, ce qui la grossissait encore et la faisait ressembler au dôme de Saint Paul. Je n'ose même pas penser à la taille de ses chapeaux. Ça prouve combien il est absurde de laisser son cerveau se développer de façon excessive.

— Hello ! hello ! fis-je en m'efforçant de mettre dans ma voix toute la cordialité nécessaire — et aussitôt j'eus le sentiment que c'était là précisément le genre de truc qu'on m'avait recommandé de ne pas dire. Fichtrement difficile de mettre une conversation en train dans ces cas-là. Un gars qui vit dans un appartement à Londres est tellement désavantagé. Je veux dire, si j'avais été un gentilhomme campagnard recevant un visiteur chez lui, j'aurais pu dire : « Bienvenue au Manoir de Champ-fleuri » ou quelque chose d'enlevé du même style. Mais ça semble un peu bête de dire : « Bienvenue au 6 bis, résidence Crichton, rue Berkeley, quartier ouest. »

— Je crains d'être un peu en retard, commença-t-il comme nous nous mettions à table. J'ai été retenu à mon club par Lord Alastair Hungerford, le fils du duc de Ramfurline. Il m'a confié qu'on avait à nouveau remarqué chez le duc les symptômes qui ont causé tant de soucis à sa famille. Je n'ai pu me libérer tout de suite. D'où mon manque de ponctualité, qui, je l'espère, ne vous a pas incommodé.

— Oh! pas du tout. Ainsi le duc a perdu la boule, hein ?

— L'expression que vous utilisez n'est pas précisément celle que j'aurais moi-même employée pour parler du chef de l'une des plus anciennes familles d'Angleterre, mais il ne fait aucun doute en effet, comme vous le suggérez, qu'une certaine excitation mentale se manifeste dans des proportions non négligeables.

Il soupira du mieux qu'il put avec la bouche pleine de côtelette et ajouta :

— Un métier comme le mien est bien dur, bien dur.

— J'imagine.

— Quelquefois je suis épouvanté par ce que je vois autour de moi.

Soudain il s'arrêta et s'immobilisa.

— Avez-vous un chat, monsieur Wooster ?

— Hein? Quoi? Un chat? Non, pas de chat.

— J'ai eu la très nette impression qu'un chat avait miaulé dans cette pièce ou très près d'ici.

— Sans doute un taxi ou quelque chose comme ça dans la rue.

— Je crains de ne pas vous suivre.

— C'est-à-dire que les taxis crissent parfois, vous comprenez, un peu à la manière des chats.

— Je n'avais pas fait le rapprochement, déclara-t-il d'une voix passablement glaciale.

— Un peu de citronnade? demandai-je, comme la conversation semblait vouloir s'enfoncer dans une ornière.

— Merci. Un demi-verre, s'il vous plaît.

Le diabolique breuvage parut le ravigoter, car il continua sur un ton légèrement plus amical :

— J'ai tout particulièrement horreur des chats. Mais que disais-je? Ah! oui. Quelquefois ce que je vois autour de moi m'épouvante vraiment. Je ne pense pas seulement aux cas dont je suis amené à m'occuper professionnellement, mais aussi à ce que j'observe quand je circule dans Londres. Il me semble parfois que le monde entier est mentalement dérangé. Ce matin même, par exemple, un incident extrêmement curieux et désolant s'est produit alors que j'allais en voiture de chez moi à mon club. Le temps étant clément, j'avais dit à mon chauffeur d'abaisser la capote, et, confortablement installé sur mon siège, je m'abandonnais aux rayons du soleil, lorsque nous fûmes arrêtés au milieu de la chaussée par un de ces embouteillages qui sont inévitables dans des rues aussi encombrées que celles de Londres.

Je suppose que j'avais dû laisser mon esprit vagabonder un brin, car lorsqu'il cessa de parler pour boire une gorgée de citronnade, j'eus l'impression que j'assistais à une conférence et que j'étais censé dire quelque chose.

— Bravo! m'exclamai-je.

— Je vous demande pardon?

— Rien, rien. Vous disiez...

— Les véhicules qui se dirigeaient dans la direction opposée avaient eux aussi été temporairement retenus, mais au bout d'un moment ils purent continuer leur route. J'étais plongé dans mes réflexions, lorsque tout à coup la chose la plus extraordinaire se produisit. Mon chapeau fut brusquement arraché de ma tête! Je regardai en arrière et vis un bras l'agiter avec une sorte d'excitation triomphale — un bras qui sortait de l'intérieur d'un taxi. Celui-ci fut happé par la circulation et je le perdis de vue.

Je m'abstins de rire, mais j'entendis distinctement deux de mes côtes flottantes qui larguaient leurs amarres sous l'effort.

— Il s'agissait probablement d'un canular, non?

Le vieux ne parut pas apprécier ma suggestion.

— Il me semble, dit-il, que je ne suis pas fermé aux phénomènes humoristiques, mais j'avoue que je serais bien en peine de détecter la moindre parcelle de drôlerie dans cet acte scandaleux. C'était là, à n'en pas douter, l'acte d'un déséquilibré. Ces troubles mentaux peuvent prendre quasiment toutes les formes. Le duc de Ramfurline, auquel je faisais allusion il y a un instant, est persuadé — ceci doit rester confidentiel — qu'il est un canari; et sa dernière crise, qui a tant ému Lord Alastair, était due à la négligence d'un valet qui avait omis de lui apporter son morceau de sucre ce matin. Il y a aussi de nombreux cas d'hommes attaquant des femmes pour leur couper une mèche de cheveux. Je suis enclin à penser que c'est d'une variété de cette dernière forme de démence que mon assaillant souffrait. Je ne peux que souhaiter qu'il soit placé sous une surveillance adéquate avant que… Monsieur Wooster, je vous assure qu'il y a un chat tout près d'ici ! Ce n'est pas dans la rue ! Le miaulement semble venir de la pièce voisine.

Cette fois je dus reconnaître que c'était la vérité. Un bruit distinct de miaulement venait bien de la pièce d'à côté. Je sonnai Jeeves, qui entra à sa manière glissante, puis attendit dans une attitude de respectueux dévouement.

— Monsieur ?

— Ah ! Jeeves. Qu'est-ce que c'est que ces bruits de chats ? Est-ce qu'il y a des chats dans l'appartement ?

— Seulement les trois dans votre chambre, Monsieur.

— Quoi !

— Des chats dans sa chambre ! entendis-je Sir Roderick murmurer d'une voix accablée, et je sentis qu'il me fusillait du regard.

— Comment ça, dis-je, seulement les trois dans ma chambre ?

— Le noir, le tigré et le petit couleur citron, Monsieur.

— Mais que diable…

Contournant la table, je chargeai en direction de la porte. Malheureusement, Sir Roderick venait de décider de se diriger du même côté, et en conséquence nous nous heurtâmes assez violemment dans l'embrasure, puis titubâmes enlacés dans le vestibule. Il se dégagea adroitement de ce corps à corps et se saisit d'un parapluie dans le porte-parapluie.

— Arrière ! cria-t-il en le brandissant au-dessus de sa tête. Arrière, monsieur ! Je suis armé !

Il me sembla que le moment était venu de me montrer conciliant.

90

— Je suis terriblement désolé de vous avoir bousculé, dis-je. Je n'aurais pas voulu faire ça pour tout l'or du monde. J'étais seulement pressé de voir ce qui se passait.

Il parut quelque peu rassuré, et abaissa le parapluie. Mais à ce moment précis le plus effroyable raffut se déchaîna dans la chambre. On aurait dit que tous les chats de Londres, assistés de délégués venus des banlieues avoisinantes, s'étaient rassemblés pour régler leurs différends une fois pour toutes. Une sorte d'orchestre géant de chats.

— Ce bruit est insupportable, hurla Sir Roderick. Je ne m'entends même pas parler.

— Je présume, Monsieur, dit respectueusement Jeeves, que ces petites bêtes ont été quelque peu stimulées par la découverte du poisson sous le lit de monsieur Wooster.

Le vieux chancela.

— Un poisson! Vous ai-je bien entendu?

— Monsieur?

— Vous avez bien dit qu'il y avait un poisson sous le lit de monsieur Wooster?

— Oui, Monsieur.

Sir Roderick gémit tout bas, puis il prit son chapeau et sa canne.

— Vous ne partez pas? demandai-je.

— Si, monsieur Wooster, je *pars*! Je préfère passer mes moments de loisir dans une compagnie moins excentrique.

— Mais je... Il faut que je sorte avec vous. Je suis sûr que tout ceci peut s'expliquer. Jeeves, mon chapeau.

Jeeves exauça mon désir. Je pris le chapeau de ses mains et le mis sur ma tête.

— Grands dieux !

Pour une fichue surprise, c'en était une ! L'objet de malheur m'avait complètement englouti, si vous voyez ce que je veux dire. Déjà, en le posant sur ma tête, j'avais eu la vague impression qu'il était un rien spacieux ; mais à peine l'eus-je lâché qu'il me recouvrit les oreilles comme une espèce d'éteignoir.

— Dites donc ! Ce n'est pas mon chapeau !

— C'est *mon* chapeau ! intervint Sir Roderick d'une voix qui était probablement la plus glaciale et la plus désagréable que j'eusse jamais entendue. Le chapeau qu'on m'a volé ce matin dans ma voiture.

— Mais...

Je suppose qu'un type comme Napoléon, par exemple, aurait su se montrer à la hauteur, mais j'avoue que la situation me dépassait. Je restai planté là, les yeux écarquillés, dans une sorte de coma, tandis que le vieux ôtait le chapeau de ma tête et se tournait vers Jeeves.

— Je vous serai obligé, mon ami, dit-il, de bien vouloir m'accompagner un instant dans la rue. J'aimerais vous poser quelques questions.

— Très bien, Monsieur.

— Attendez... je... bégayai-je, mais il tourna les talons et sortit d'un pas raide, suivi de Jeeves.

A ce moment le vacarme dans la chambre reprit de plus belle.

J'en avais un peu assez de toute cette histoire. Enfin, des chats dans votre chambre — c'est un peu fort, non ? J'ignorais comment diable ils avaient pu y entrer, mais j'étais bien décidé à ne pas les laisser pique-niquer là plus longtemps. J'ouvris la porte à toute volée. J'eus la vision éphémère d'environ cent quinze chats de toutes tailles et de toutes couleurs se bagarrant au milieu de la pièce, puis passant tous comme des flèches sous mon nez et s'enfuyant par la porte d'entrée. Et tout ce qui resta de cette débandade fut la tête d'un énorme poisson qui, du tapis où il reposait, me fixait d'un regard assez sévère, comme s'il exigeait des explications et des excuses écrites.

Il y avait quelque chose dans l'expression de cette tête qui me glaça jusqu'aux os, aussi me retirai-je sur la pointe des pieds et refermai-je la porte. Ce faisant, je me heurtai à quelqu'un.

— Oh! pardon! s'exclama-t-il.

Je pivotai sur mes talons. C'était le type aux joues roses, Lord Machin-Chose, le gars que j'avais rencontré avec Claude et Eustache.

— Je suis vraiment désolé de vous déranger, s'excusa-t-il, mais ne serait-ce pas par hasard mes chats que je viens de croiser dans l'escalier? J'ai cru reconnaître mes chats.

— Ils sortaient de ma chambre.

— Ainsi, c'étaient bien mes chats! dit-il tristement. Oh! flûte!

— Vous aviez mis des chats dans ma chambre?

— C'est votre domestique, comment s'appelle-t-il déjà? Il a été assez aimable pour me dire que je pouvais les laisser là jusqu'à l'heure du train. Je venais justement les chercher. Et maintenant ils sont partis! Tant pis, je suppose qu'on n'y peut rien. Je vais toujours emporter le chapeau et le poisson.

Ce type commençait à me déplaire souverainement.

— C'est vous aussi qui avez mis là ce foutu poisson?

— Non, ça, c'était Eustache. Le chapeau, c'était Claude.

Je me laissai glisser dans un fauteuil.

— Dites-moi, vous ne pourriez pas m'expliquer de quoi il retourne, des fois?

Le gars me regarda, plutôt surpris.

— Comment, vous n'êtes pas au courant? Ça alors!

Soudain rouge comme une pivoine, il reprit :

— Si vous n'êtes pas au courant, ça ne m'étonne pas que vous trouviez tout ça un peu bizarre.

— Le mot est faible.

— Vous comprenez, c'était pour les Chercheurs.

— Les Chercheurs?

— Oui, un club assez chouette, vous comprenez, là-bas à Oxford, dont vos cousins et moi voudrions bien faire partie. Vous devez piquer quelque chose, vous comprenez, pour être accepté. Une sorte de souvenir, vous comprenez. Un képi d'agent de police, vous comprenez, ou un marteau de porte, ce genre de truc, vous comprenez. La salle du club est décorée avec tous ces objets lors du grand dîner annuel, et tout le monde prononce des discours et ainsi de suite. C'est plutôt bath! Bon, alors on voulait comme qui dirait s'appliquer et faire bien les choses, vous comprenez, et on est venus à Londres pour voir si on ne pouvait pas chiper ici des trucs qui sortent un peu de l'ordinaire. Et on a eu tout de suite une veine de pendu. Votre cousin Claude a réussi à s'approprier un assez beau haut-de-forme au passage d'une voiture, et votre cousin Eustache a barboté un saumon ou je ne sais quoi d'assez belle taille chez Harrods, et j'ai moi-même chapardé dès la première heure trois magnifiques chats. On était gonflés à bloc, vous pouvez me croire. Mais le problème était de savoir où laisser tout ça jusqu'au départ du train. Vous comprenez, vous ne passez pas inaperçu quand vous vous baladez dans Londres avec un poisson et des tas de chats. Et puis

Eustache s'est souvenu de vous, et on est tous venus ici en taxi. Vous étiez sorti, mais votre serviteur nous a dit que ça irait très bien comme ça. Quand on vous a rencontré, vous étiez si pressé qu'on n'a pas eu le temps de vous expliquer. Bon, eh bien, je crois que je vais prendre le chapeau, si ça ne vous fait rien.

— Il est parti.

— Parti ?

— Il se trouve que le type à qui vous l'avez fauché vient de déjeuner ici. Il l'a emporté avec lui.

— Allons bon ! Ce pauvre Claude va être contrarié. Qu'est devenu ce beau saumon ou je ne sais quoi ?

— Voulez-vous prendre la peine de voir les restes ?

La vue des débris parut le déprimer complètement.

— Je doute que le comité accepte ceci, murmura-t-il tristement. Il n'en reste vraiment pas grand-chose, hein ?

— Les chats se sont régalés.

Il poussa un profond soupir.

— Plus de chats, plus de poisson, plus de chapeau. On s'est donné toute cette peine pour rien. Pour un coup dur, c'en est un ! Et par-dessus le marché — vous savez, ça me gêne de vous demander ça, mais vous ne pourriez pas me prêter un billet de dix, par hasard ?

— Un billet de dix ? Pour quoi faire ?

— Eh bien, à vrai dire, il faut que j'aille vite verser une caution pour Claude et Eustache. Ils se sont fait arrêter.

— Arrêter ?

— Oui. Vous comprenez, avec toute cette excitation — la chasse au chapeau et au saumon-ou-je-ne-sais-quoi, sans compter qu'on a eu un déjeuner assez joyeux —, ils se sont un peu monté la tête, les pauvres, et ils ont essayé de faucher un camion. C'était stupide, bien sûr, car je ne vois pas comment ils auraient pu emmener ce truc-là à Oxford pour le montrer au comité. Mais il n'y avait pas moyen de les raisonner, et quand le chauffeur s'est mis à vouloir faire des histoires, il y a eu comme une petite bagarre, si bien que Claude et Eustache se morfondent plus ou moins au commissariat de Vine Street en attendant que je vienne verser leur caution. Alors si vous pouviez avancer un billet de dix — oh! merci, c'est vraiment très chic de votre part. Ce serait dommage de les laisser moisir là-bas, non? Je veux dire, ils sont tellement sympa tous les deux. Tout le monde les adore à la fac. Ils sont terriblement populaires.

— J'en suis convaincu, dis-je.

Quand Jeeves revint, je l'attendais sur le paillasson. J'avais deux mots à dire à ce cornichon.

— Eh bien? fis-je.

— Sir Roderick m'a posé un certain nombre de questions, Monsieur, au sujet de vos habitudes et de votre mode de vie, auxquelles j'ai répondu avec la plus grande réserve.

— Ça m'est égal. Ce que je veux savoir, c'est pourquoi vous ne lui avez pas tout expliqué dès le début? Un mot de vous aurait dissipé tout malentendu.

— Oui, Monsieur.

— Maintenant il est parti en étant persuadé que je suis toqué.

— Je serais en effet surpris, Monsieur, après la conversation que nous venons d'avoir, si une idée de ce genre ne lui était pas venue à l'esprit.

Je m'apprêtais à répondre, lorsque la sonnerie du téléphone retentit. Jeeves décrocha le combiné.

— Non, Madame, M. Wooster n'est pas là. Non, Madame, je ne sais pas quand il reviendra. Non, Madame, il n'a laissé aucun message. Oui, Madame, je le lui dirai.

Il raccrocha.

— C'était Mme Gregson, Monsieur.

Tante Agatha ! Je m'y attendais. Depuis l'instant où le déjeuner avait capoté, son ombre était restée suspendue au-dessus de ma tête, pour ainsi dire.

— Elle sait ? Déjà ?

— Il semblerait que Sir Roderick lui ait parlé au téléphone, Monsieur, et...

— Pas de marche nuptiale pour moi, c'est ça ?

Jeeves toussa.

— Mme Gregson ne m'en a pas parlé, Monsieur, mais je croirais volontiers qu'il s'agit de quelque chose de ce genre. Elle paraissait très contrariée, Monsieur.

C'est bizarre, mais j'avais été tellement traumatisé par le vieux, et les chats, et le poisson, et le chapeau, et le type aux joues roses, et tout le tremblement, que le bon côté des choses ne m'était tout simplement pas encore apparu. Sapristi, ce fut comme si on ôtait de ma poitrine un poids énorme ! Un petit cri de pur soulagement s'échappa de mes lèvres.

— Jeeves ! Je suis sûr que c'est vous qui avez manigancé tout ça.

— Monsieur ?

— Je suis sûr que vous aviez la situation bien en main dès le début.

— C'est-à-dire, Monsieur, que Spenser, le maître d'hôtel de Mme Gregson, qui avait surpris tout à fait par hasard quelques mots de votre conversation lors de votre déjeuner là-bas, m'avait en effet rapporté certains détails; et je reconnais, si je puis me permettre cette liberté, que j'avais bon espoir que quelque chose se produirait pour empêcher ce mariage. Je doute que cette jeune demoiselle eût été un très bon parti pour vous, Monsieur.

— Et elle vous aurait flanqué à la porte cinq minutes après la cérémonie.

— Oui, Monsieur. Spenser m'avait confié qu'elle avait exprimé une intention de ce genre. Mme Gregson désire que vous alliez la voir dès que possible, Monsieur.

— Ah! vraiment? Qu'en pensez-vous, Jeeves?

— Je pense qu'un voyage à l'étranger pourrait se révéler fort profitable, Monsieur.

Je hochai la tête.

— Elle me suivrait.

— Pas si vous alliez assez loin, Monsieur. Il y a d'excellents bateaux qui appareillent tous les mercredis et samedis pour New York.

— Jeeves, dis-je, vous avez raison, comme toujours. Occupez-vous des réservations.

9

UNE LETTRE D'INTRODUCTION

Vous savez, plus j'avance en âge, et plus je me rends compte que la moitié des ennuis qu'on a dans ce fichu monde proviennent de la façon étourdie et inconsidérée dont des quidams griffonnent des lettres d'introduction et les confient à d'autres quidams pour qu'ils les remettent à d'autres quidams. C'est une de ces choses qui vous font regretter de ne pas vivre à l'âge de pierre. Parce qu'en ce temps-là, lorsqu'un type voulait donner une lettre de recommandation à quelqu'un, il devait passer à peu près un mois à la graver sur un énorme caillou, et il y avait fort à parier que l'autre type en aurait tellement marre de coltiner ce truc-là sous le soleil brûlant qu'il laisserait tout tomber au bout d'un kilomètre. Mais, de nos jours, il est si facile d'écrire des lettres d'introduction que tout le monde le fait sans réfléchir, et le résultat, c'est que des gars parfaitement innocents comme moi-même se retrouvent dans le pétrin.

Notez que les remarques ci-dessus sont comme qui dirait le fruit de mon expérience la plus récente. Je reconnais volontiers que sur le coup de l'émotion, en quelque sorte, lorsque Jeeves m'annonça — c'était environ trois semaines après mon arrivée en Amérique — qu'un individu nommé Cyril Bassington-Bassington s'était présenté en disant qu'il m'apportait une lettre de recommandation de Tante Agatha... où en étais-je? Ah! oui... Je reconnais volontiers, disais-je, que je fus d'abord plutôt content. Vous comprenez, après les pénibles circonstances qui m'avaient amené à quitter l'Angleterre, je n'avais pas espéré recevoir de Tante Agatha la moindre lettre qui trouvât grâce aux yeux de la censure, si j'ose dire. C'était donc une agréable surprise d'ouvrir celle-ci et de la trouver presque aimable. Plutôt froide, sans doute, par endroits, mais dans l'ensemble, raisonnablement courtoise. Ce ton me semblait un heureux présage. Une sorte de rameau d'olivier, vous voyez. Ou est-ce plutôt une fleur d'oranger? Quoi qu'il en soit, le fait que Tante Agatha m'eût écrit sans me traiter de tous les noms m'apparaissait comme un pas vers la paix.

Et j'étais tout à fait en faveur de la paix — une paix immédiate. Je n'ai rien contre New York, remarquez. Je m'y plaisais et m'y amusais bien. Mais il n'en demeure pas moins qu'un gars qui a toujours vécu à Londres finit par avoir le mal du pays dans une contrée lointaine, et j'aspirais à retrouver le vieil appartement douillet de Berkeley Street — ce qui ne pourrait se faire que quand Tante Agatha se serait calmée et qu'elle aurait digéré l'affaire Glossop. Je sais bien que Londres est une ville de taille respectable, mais croyez-moi, elle n'est pas moitié assez grande pour qu'un individu puisse y vivre avec Tante Agatha lorsqu'elle a déterré la hache de guerre. C'est pourquoi je considérai Bassington-Bassington, quand il arriva, plus ou moins comme une Colombe de la Paix; je ne lui voulais que du bien.

A en croire certaines sources, il s'était amené ce matin-là à sept heures quarante-cinq — un bel exemple de l'heure insensée à laquelle on vous tire du plumard à New York. Jeeves l'avait respectueusement envoyé promener en lui disant d'essayer à nouveau environ trois heures plus tard, quand j'aurais probablement jailli de mon lit en poussant un cri de joie pour saluer un nouveau jour et ainsi de suite. A la réflexion, ce délai était plutôt chic de la part de Jeeves, car il se trouve qu'il y avait un léger désaccord, un rien de froideur, bref une petite guerre entre nous à ce moment-là, à cause d'une paire de chaussettes violettes assez amusantes que je portais contre son gré : et un homme plus mesquin aurait facilement pu profiter de cette occasion de revanche en lâchant Cyril dans ma chambre à un moment où je n'aurais pas supporté une conversation de deux minutes avec mon meilleur ami. Car, avant d'avoir bu ma première tasse de thé et médité un peu sur la vie dans le calme le plus absolu, je ne vaux pas grand-chose pour les joyeux bavardages.

Jeeves renvoya donc très loyalement Cyril dans l'air vif du matin, et ne m'informa de son existence qu'en m'apportant sa carte avec mon thé noir.

— De quoi peut-il bien s'agir, Jeeves ? demandai-je en regardant la chose d'un œil vitreux.

— Ce jeune monsieur arrive d'Angleterre, à ce que je comprends, Monsieur. Il est passé plus tôt dans la journée pour voir Monsieur.

— Sapristi, Jeeves ! Ne me dites pas que la journée commence plus tôt ?

— Il m'a prié de dire à Monsieur qu'il repasserait plus tard.

— Je n'ai jamais entendu parler de lui. Et vous, Jeeves ?

— Ce nom, Bassington-Bassington, ne m'est pas inconnu, Monsieur. La famille Bassington-Bassington comporte trois branches — les Bassington-Bassington du Shropshire, les Bassington-Bassington du Hampshire, et les Bassington-Bassington du Kent.

— L'Angleterre semble assez bien pourvue en Bassington-Bassington.

— En effet, Monsieur.

— Aucun risque de pénurie soudaine, hein ?

— Probablement pas, Monsieur.

— Et à quel genre de spécimen avons-nous affaire ?

— Je ne saurais dire, Monsieur, après une rencontre aussi brève.

— Seriez-vous prêt à parier à 2 contre 1, Jeeves, d'après ce que vous avez vu de lui, que ce type n'est pas un cornichon ou une excroissance ?

— Non, Monsieur. Je n'aimerais pas prendre un tel risque.

— Je m'en doutais. Eh bien, la seule chose qui reste à découvrir, c'est quel genre de cornichon il est.

— L'avenir le dira, Monsieur. Ce jeune monsieur a apporté une lettre pour Monsieur.

— Ah oui ?

Je m'emparai de la missive et reconnus l'écriture.

— Dites donc, Jeeves, c'est de Tante Agatha !

— Vraiment, Monsieur ?

— N'en parlez pas sur ce ton indifférent et léger. Ne comprenez-vous donc pas ce que cela signifie ? Elle dit qu'elle veut que je m'occupe de l'excroissance pendant son séjour à New York. Bon sang, Jeeves, si je suis aux petits soins pour lui, il enverra sans doute un rapport favorable au quartier général, et je pourrai rentrer en Angleterre à temps pour le Prix Goodwood. Jeeves, c'est l'heure où tous les braves doivent

102

se prêter main-forte. Il s'agit de joindre nos efforts pour choyer ce gus comme un nourrisson.

— Oui, Monsieur.

— Il ne compte pas s'attarder à New York, dis-je en reportant mon attention sur la lettre. C'est à Washington qu'il se rend. Apparemment, il va jeter un coup d'œil aux gros bonnets de là-bas avant de tenter sa chance dans le service diplomatique. Il me semble que nous devrions pouvoir gagner l'estime et l'affection de ce garçon avec un déjeuner et deux ou trois dîners, non ?

— Je pense que cela conviendrait parfaitement, Monsieur.

— C'est la chose la plus épatante qui soit arrivée depuis que nous avons quitté l'Angleterre ! J'ai l'impression que le soleil perce enfin à travers les nuages.

— C'est fort possible, Monsieur.

Il commença à sortir mes affaires, et il y eut un silence gêné.

— Pas ces chaussettes, Jeeves, dis-je — la gorge un peu serrée, mais tâchant d'adopter un ton insouciant et désinvolte. Donnez-moi les violettes.

— Je demande pardon à Monsieur ?

— Ces chouettes chaussettes violettes.

— Très bien, Monsieur.

Il les extirpa du tiroir à la manière d'un végétarien qui a trouvé une chenille dans la salade. Il était clair qu'il en avait gros sur le cœur. Ce genre de chose est certes pénible, mais sapristi, un homme doit faire valoir ses droits de temps en temps. Parfaitement.

Je m'étais attendu à voir Cyril revenir après mon petit déjeuner, mais il ne se montra point. Vers une heure, je me rendis donc tranquillement au *Lambs Club*, où je devais restaurer le gars Wooster en compagnie d'un type nommé Caffyn, avec qui je m'étais lié d'amitié depuis mon arrivée — George Caffyn, un bonhomme qui écrivait des pièces de théâtre et tout. Je m'étais fait plein d'amis pendant mon séjour à New York, cette ville regorgeant de garçons décontractés qui sont tous prêts à tendre une main chaleureuse à l'étranger qui se trouve parmi eux.

Caffyn était un peu en retard, mais il finit par arriver, disant qu'il avait été retenu à une répétition de sa nouvelle comédie musicale, *Demande à Papa* ; et nous déjeunâmes. Nous en étions au café, lorsque le garçon vint me dire que Jeeves désirait me parler.

Jeeves était dans le salon d'attente. Il jeta sur mes chaussettes un coup d'œil peiné lorsque j'entrai, puis il détourna son regard.

— M. Bassington-Bassington vient de téléphoner, Monsieur.

— Ah ?

— Oui, Monsieur.

— Où est-il ?

— En prison, Monsieur.

Chancelant, je m'appuyai au papier peint. Que ce genre d'expérience fût une excellente chose pour le protégé de Tante Agatha, lors de sa première matinée sous ma tutelle, je ne le pensais pas une seconde !

— En prison ?

— Oui, Monsieur. Il a dit au téléphone qu'il avait été arrêté et qu'il serait reconnaissant à Monsieur de bien vouloir aller verser sa caution pour qu'on le libère.

— Arrêté ! Mais pourquoi ?

— Il ne m'a fait aucune confidence à ce sujet, Monsieur.

104

— C'est un peu fort, Jeeves.

— Absolument, Monsieur.

Je rejoignis ce vieux George, qui proposa très aimablement de m'accompagner, et nous sautâmes dans un taxi. Au poste de police, nous attendîmes un moment, assis sur une banquette en bois dans une sorte d'antichambre, et bientôt un policier apparut, avec Cyril dans son sillage.

— Salut, fis-je. Alors ?

Mon expérience m'a appris qu'un type n'a jamais l'air au mieux de sa forme lorsqu'il sort du trou. Quand j'étais à Oxford, c'était devenu une habitude pour moi d'aller verser la caution d'un copain qui ne manquait jamais de se faire embarquer le soir de chaque course d'aviron annuelle, et il ressemblait toujours à quelque chose qui vient d'être arraché par les racines. Cyril était à peu près dans le même état. Il avait un œil au beurre noir, un col de chemise déchiré, et dans l'ensemble il ne méritait guère de figurer dans une correspondance — surtout si c'était à Tante Agatha qu'on écrivait. C'était un garçon grand et mince, avec un tas de cheveux blonds et des yeux bleu clair protubérants qui faisaient penser à une variété particulièrement rare de poisson.

— J'ai reçu votre message, dis-je.

— Oh! vous êtes Bertie Wooster ?

— Mais oui. Et voici mon copain George Caffyn. Il écrit des pièces et tout, vous savez.

Nous nous serrâmes la main, et le policier, ayant récupéré un bout de chewing-gum sous un siège, où il l'avait collé en prévision d'une heure creuse, se retira dans un coin et se mit à méditer sur l'infini.

— Quel sale pays, dit Cyril.

— Oh! vous savez, je ne sais pas, qu'en savons-nous ? marmonnai-je.

— Nous faisons de notre mieux, dit George.

— Ce vieux George est américain, expliquai-je. C'est un auteur dramatique, vous savez, et tout et tout.

— Bien sûr, je n'ai pas inventé ce pays, dit George. Ça, c'était Colomb. Mais je serais heureux de recevoir vos suggestions concernant d'éventuelles améliorations et d'en référer aux autorités compétentes.

— Eh bien, pourquoi les policiers de New York ne sont-ils pas habillés convenablement ?

George tourna son regard vers le brigadier qui ruminait au fond de la pièce.

— Je ne vois rien qui manque, dit-il.

— Je veux dire, pourquoi ne portent-ils pas de casque comme ils le font à Londres ? Pourquoi ressemblent-ils à des facteurs ? Ce n'est pas juste, bon sang, on ne s'y retrouve pas. Je me tenais sur le trottoir, observant le spectacle de la rue, quand un type qui ressemblait à un facteur m'a enfoncé un bâton dans les côtes. Je ne vois pas pourquoi je laisserais des facteurs me chatouiller les côtes. Pourquoi diable un quidam parcourrait-il cinq mille kilomètres si c'est pour être embêté par des facteurs ?

— Il y a du vrai là-dedans, remarqua George. Qu'avez-vous fait ?

— Je l'ai repoussé un bon coup. Vous savez, je suis terriblement soupe au lait. Tous les Bassington-Bassington sont terriblement soupe au lait, vous savez ! Alors il m'a flanqué son poing dans la figure et traîné dans cet horrible endroit.

— Je vais arranger ça, vieux, dis-je.

Et, sortant les picaillons, je décidai d'entamer les négociations, pendant que Cyril s'entretenait avec George. Je reconnais volontiers que j'étais assez ennuyé. Le vieux front était creusé de rides et j'avais comme un mauvais pressentiment. Tant que ce bourricot resterait à New York, j'en serais responsable ; et il ne me donnait pas l'impression d'être le genre de zig dont un gars raisonnable accepterait de se voir confier la responsabilité plus de deux ou trois minutes.

Ce soir-là, quand je fus rentré chez moi et que Jeeves m'eut apporté mon dernier whisky, je me plongeai dans d'abyssales réflexions sur le cas Cyril. Je ne pouvais m'empêcher de penser que son premier séjour en Amérique allait être un de ces moments qui éprouvent l'âme d'un homme et ainsi de suite. Je relus la lettre de recommandation de Tante Agatha, et il n'y avait pas à tortiller, elle paraissait vraiment ne jurer que par ce cornichon et considérer que ma mission sur cette terre était de veiller sur lui tant qu'il se trouverait dans le secteur. J'étais rudement soulagé qu'il se fût si vite lié d'amitié avec George Caffyn, car ce vieux George était un garçon sérieux. Après que j'eus fait sortir Cyril de son cul-de-basse-fosse, lui et George étaient partis ensemble, comme de vieux potes, pour aller assister à la répétition de l'après-midi de *Demande à Papa*. Il était question, m'avait-il semblé, qu'ils dînent aussi ensemble. Tant que George garderait un œil sur lui, je me sentirais plus rassuré.

J'en étais là, en gros, de mes cogitations, lorsque Jeeves entra avec un télégramme. Enfin, pas exactement un télégramme : c'était un câble — de Tante Agatha, et voici ce qu'il disait :

As-tu reçu la visite de Cyril Bassington-Bassington ? Surtout ne pas l'introduire dans les milieux du théâtre. Absolument capital. Lettre suit.

Je le lus et le relus.
— Bizarre, Jeeves !

— Oui, Monsieur ?

— Très bizarre et sacrément ennuyeux !

— Sera-ce tout pour ce soir, Monsieur ?

Bien sûr, si c'était là tout l'intérêt que ce crétin était disposé à m'accorder, il n'y avait rien à y faire. Mon idée avait été de lui montrer le câble et de lui demander son avis. Mais si mes chaussettes violettes lui restaient à ce point en travers du gosier, la bonne vieille devise des Wooster, *Noblesse oblige*, ne pouvait permettre que je m'abaisse à l'implorer. Absolument pas. Je m'abstins donc.

— Ce sera tout, merci.

— Bonne nuit, Monsieur.

— Bonne nuit.

Il glissa vers la porte, et je m'assis pour réfléchir au problème. Les vieilles méninges le tournaient et retournaient de leur mieux depuis environ une demi-heure, lorsqu'on sonna. J'allais ouvrir. C'était Cyril. Il avait l'air plutôt joyeux.

— Je vais entrer un moment, si vous permettez. J'ai quelque chose d'assez marrant à vous raconter.

Passant près de moi avec un petit bond, il entra dans le salon, et lorsque je l'y rejoignis après avoir fermé la porte de l'appartement, je le trouvai en train de lire le câble de Tante Agatha, tout en gloussant bizarrement.

— Je n'aurais pas dû lire ceci, je suppose. J'ai vu mon nom et j'ai continué sans y penser. Dites donc, Wooster, vieil ami de ma jeunesse, c'est assez drôle. Ça ne vous fait rien que je me verse quelque chose ? Merci mille fois et toutes ces bêtises. Oui, c'est assez drôle, étant donné ce que je venais vous dire. Ce brave vieux Caffyn m'a confié un petit rôle dans sa comédie musicale, *Demande à Papa*. Ce n'est pas grand-chose, vous savez, mais c'est plutôt bath. Je suis terriblement excité, vous savez !

Il but une gorgée, puis continua. Il ne semblait pas s'apercevoir que je ne m'étais pas mis à gambader dans la pièce en jappant de joie.

— Vous savez, j'ai toujours voulu faire de la scène, dit-il. Mais mon vieux ne voulait pas en entendre parler. Chaque fois que le sujet était abordé, il tapait du pied et devenait cramoisi. C'est la vraie raison de ma venue ici, pour tout dire. Je savais que je ne pourrais jamais rien combiner pour monter sur les planches à Londres sans que quelqu'un l'apprenne et aille tout raconter au paternel, alors j'ai conçu le plan assez génial de venir à Washington pour m'enrichir l'esprit. Personne ne me mettra des bâtons dans les roues de ce côté de l'Atlantique, vous voyez, alors je peux foncer !

J'essayai de raisonner le pauvre nigaud.

— Mais votre père l'apprendra tôt ou tard.

— Ça ne fait rien. Je serai en haut de l'affiche à ce moment-là, et il n'aura rien à dire.

— Il me semble qu'il aura pas mal de choses à *me* dire.

— Pourquoi donc ? En quoi tout ceci vous concerne-t-il ?

— C'est moi qui vous ai présenté à George Caffyn.

— En effet, vieux, en effet. J'avais complètement oublié. J'aurais dû vous remercier plus tôt. Eh bien, à bientôt. Il y a une répétition de *Demande à Papa* de bonne heure demain matin, et il faut que je me sauve. C'est drôle que ce truc-là s'appelle *Demande à Papa*, alors que c'est justement ce que je ne vais pas faire. Vous voyez ce que je veux dire, hein ? Allez, tchao !

— Bye ! fis-je tristement — et le corniaud disparut.

Je bondis sur le téléphone et appelai George Caffyn.

— Dis donc, George, qu'est-ce que c'est que cette

histoire avec Bassington-Bassington ?

— Quelle histoire ?

— Il me raconte que tu lui as donné un rôle dans ton spectacle.

— Oh ! oui. Seulement quelques lignes.

— Mais je viens de recevoir cinquante-sept câbles de Londres m'ordonnant de ne le laisser monter sur scène sous aucun prétexte.

— Désolé, mais Cyril est tout à fait le personnage de l'emploi. Il n'a qu'à se montrer tel qu'il est.

— C'est plutôt vache pour moi, mon vieux. Tante Agatha m'a envoyé ce type avec une lettre d'introduction, et elle va m'en tenir responsable.

— Elle va te déshériter ?

— Ce n'est pas une question d'argent. Mais... bien sûr, tu ne connais pas Tante Agatha, alors c'est assez dur à expliquer. Mais c'est une sorte de vampire, et elle me rendra la vie horriblement difficile quand je rentrerai en Angleterre. C'est le genre de femme à venir te secouer les puces avant le petit déjeuner, tu te rends compte.

— Eh bien, ne rentre pas en Angleterre, alors. Reste ici et deviens Président.

— Mais, George...

— Bonne nuit !

— Enfin, quoi, mon vieux...

— Tu n'as pas saisi ma dernière réplique. C'était « Bonne nuit ! » Vous autres Riches Oisifs n'avez peut-être pas besoin de sommeil, mais moi je dois me lever de bonne heure, frais et dispos. Au plaisir !

J'avais l'impression d'être abandonné de tous. J'étais si sacrément agité que j'allai frapper à la porte de Jeeves. Ce n'est certes pas une chose que j'aurais faite en temps normal, mais il me semblait que le moment était venu pour tous les hommes de bonne

110

volonté d'unir leurs efforts pour la bonne cause dans un sens, et que Jeeves devait accepter d'aider le jeune maître, même si cela entraînait le sacrifice de son premier sommeil.

Jeeves émergea dans un peignoir marron.

— Monsieur ?

— Vraiment désolé de vous réveiller, Jeeves, et caetera, mais toutes sortes de choses diablement ennuyeuses se sont produites.

— Je ne dormais pas. J'ai coutume, en me retirant, de lire quelques pages d'un ouvrage instructif.

— Tant mieux ! Je veux dire, si vous venez juste d'exercer les vieilles méninges, elles sont probablement en super-forme pour s'attaquer à un problème. Jeeves, M. Bassington-Bassington va monter sur les planches !

— Vraiment, Monsieur ?

— Ha ! Rien ne vous frappe là-dedans ! Vous ne saisissez pas bien ! J'explique. Sa famille tout entière s'oppose catégoriquement à ce qu'il fasse du théâtre. Les ennuis ne finiront jamais s'il n'est pas détourné de cette voie. Et le pire, c'est que ma tante Agatha s'en prendra à *moi*, vous voyez.

— Je vois, Monsieur.

— Eh bien, n'avez-vous rien à suggérer pour l'arrêter ?

— Pas pour le moment, je l'avoue, Monsieur.

— Eh bien, pensez-y.

— Cette question recevra toute mon attention, Monsieur. Sera-ce tout pour ce soir ?

— Je l'espère ! J'en ai déjà eu plus que mon compte.

— Très bien, Monsieur.

Et il disparut.

10

SURPRENANTE ÉLÉGANCE D'UN GARÇON D'ASCENSEUR

Le rôle que ce vieux George avait écrit pour ce nigaud de Cyril faisait à peine deux pages dactylographiées, mais à voir la façon dont cette pauvre tête d'œuf fourvoyée s'échinait dessus, on aurait pu croire qu'il s'agissait de Hamlet. Si je ne l'ai pas entendu lire son texte une bonne douzaine de fois dans les deux premiers jours, je ne l'ai jamais entendu. Il semblait s'imaginer que mon seul sentiment dans toute cette affaire était un enthousiasme échevelé, et qu'il pouvait compter sur tout mon soutien et toute ma sympathie. Entre mes efforts pour essayer de me représenter comment Tante Agatha allait prendre la chose, et mes pénibles réveils à l'aurore tous les deux jours, quand Cyril sollicitait mon avis sur une nouvelle idée qu'il avait eue, j'avais tendance à devenir l'ombre de moi-même. Et pendant tout ce temps, Jeeves demeurait plutôt froid et distant, toujours à cause des chaussettes violettes. C'est le genre de situation qui vieillit un homme, croyez-moi, et qui donne à sa *joie de vivre*[1] juvénile un sacré coup dans les tibias.

La lettre de Tante Agatha arriva sur ces entrefaites. Il lui avait fallu environ six pages pour rendre justice

1. En français dans le texte. (*N.d.T.*)

aux sentiments du père de Cyril à propos des velléités théâtrales de son rejeton, et une demi-douzaine de plus pour me donner un aperçu de ce qu'elle penserait, dirait, et ferait, si je ne tenais pas le garçon éloigné de toute influence néfaste pendant son séjour en Amérique. Cette lettre arriva au courrier de l'après-midi, et je compris aussitôt que ce n'était pas une chose que je devais garder pour moi. Je ne sonnai même pas Jeeves : pour aller plus vite, je courus à la cuisine, en bêlant son nom — et là je me retrouvai au beau milieu d'une sorte de goûter familial. Un type à l'air abattu, qui pouvait être un valet ou quelque chose d'approchant, et un jeune garçon en costume à martingale, étaient assis à la table. Le valet sirotait un whisky-soda, et le garçon n'y allait certainement pas de main morte avec le gâteau et la confiture.

— Oh ! dites donc, Jeeves, je ne voudrais surtout pas interrompre cette petite fête de l'esprit, cette communion des âmes, et ainsi de suite, mais...

A cet instant le garçon me foudroya du regard et me coupa le sifflet. C'était un de ces regards froids, oppressants, accusateurs, qui vous font vérifier que votre cravate n'est pas de travers : et il me dévisageait comme si j'étais je ne sais quel détritus que Gros Minet avait ramené d'une visite dans les poubelles du quartier. C'était un marmot grassouillet, avec un tas de taches de rousseur et de confiture sur la figure.

— Hello ! hello ! Hein ? fis-je — il ne semblait pas y avoir grand-chose d'autre à dire.

Le môme fixait sur moi un regard mauvais à travers la confiture. Peut-être avait-il eu le coup de foudre en me voyant — cependant l'impression qu'il me donnait était qu'il ne me tenait pas en grande estime et ne s'attendait guère à ce que je gagne à être connu. J'avais le sentiment qu'il m'appréciait à peu près autant qu'un croque-monsieur froid.

— Comment vous vous appelez? demanda-t-il.

— Comment je m'appelle? Oh! Wooster, oui, et je...

— Mon père est plus riche que vous!

Il parut avoir fait le tour de la question. Ayant dit ce qu'il avait à dire, il se remit à malmener la confiture. Je me tournai vers Jeeves :

— Dites donc, Jeeves, vous avez un instant? J'ai quelque chose à vous montrer.

— Très bien, Monsieur.

Nous passâmes dans le salon.

— Qui est votre jeune ami, ce joyeux rayon de soleil, Jeeves?

— Le jeune gentleman, Monsieur?

— C'est une façon approximative de le décrire, mais je vois ce que vous voulez dire.

— J'espère n'avoir pas pris une trop grande liberté en l'invitant à goûter, Monsieur?

— Pas du tout. Si c'est là l'idée que vous vous faites d'un après-midi réussi, ne vous gênez pas.

— J'ai rencontré par hasard ce jeune monsieur alors qu'il se promenait avec le valet de son père, que j'ai assez bien connu à Londres, et je me suis permis de les inviter tous les deux à prendre le thé.

— Bon, c'est sans importance, Jeeves. Lisez plutôt cette lettre.

Il la parcourut rapidement.

— C'est très ennuyeux, Monsieur! — fut tout ce qu'il trouva à dire.

— Qu'allons-nous faire?

— Cela s'arrangera peut-être avec le temps, Monsieur.

— Mais il n'y a rien de moins sûr, hein?

— Monsieur a tout à fait raison.

114

Nous en étions là de notre échange de vues, lorsqu'on sonna à la porte. Jeeves s'éloigna en souplesse, et Cyril entra en trombe, plein de bonne humeur et de crétinerie.

— Dites donc, Wooster, vieille branche, j'ai besoin d'un conseil. C'est au sujet de ce chouette rôle qu'on m'a confié. Quel costume dois-je choisir ? Vous savez, le premier acte se passe dans une sorte d'hôtel, vers trois heures de l'après-midi, alors comment dois-je m'habiller, à votre avis ?

Je n'avais guère envie de discuter d'oripeaux masculins.

— Vous feriez mieux de demander à Jeeves, dis-je.

— Magnifique et géniale idée ! Où est-il ?

— Il est retourné à la cuisine, je suppose.

— J'actionne cette bonne vieille sonnette, hein ? Oui. Non ?

— Allez-y.

Jeeves entra, digne et silencieux.

— Oh ! dites donc, Jeeves, commença Cyril, je voulais juste vous demander ce que... Tiens, qui est-ce ?

Je m'aperçus alors que le garnement grassouillet s'était glissé dans la pièce à la suite de Jeeves. Il se tenait près de la porte et regardait Cyril comme si ses pires craintes se trouvaient confirmées. Il y eut un silence. Le môme resta là à observer Cyril pendant à peu près trente secondes ; puis il rendit son verdict :

— Tête de morue !

— Hein ? Quoi ?

Le gosse, qui avait manifestement appris sur les genoux de sa mère à toujours dire la vérité, exprima un peu plus clairement sa pensée :

— Vous ressemblez à une morue !

Il parlait comme si Cyril était plus à plaindre qu'à blâmer, ce qui, je dois dire, me parut plutôt chic et tolérant de sa part. Je reconnais volontiers que chaque fois que je regardais la bobine de Cyril, j'avais le sentiment qu'il n'avait pu devenir ainsi sans y mettre beaucoup du sien. Je me surpris à considérer ce garçon avec plus de sympathie. Parfaitement. Sa conversation me plaisait.

Il fallut apparemment quelques instants à Cyril pour bien comprendre ce qui se passait, et alors on put entendre le sang des Bassington-Bassington qui entrait en ébullition.

— Ça alors ! s'exclama-t-il. Ça, par exemple !

— Je ne voudrais pas avoir une tête pareille, continua le gosse d'un air convaincu, même si on me donnait un million de dollars !

Il réfléchit un instant, puis, se corrigeant, précisa : « Deux millions de dollars ! »

Je ne saurais dire au juste ce qui se passa alors, mais les quelques minutes qui suivirent furent assez animées. Je suppose que Cyril avait bondi sur le petit ange. Quoi qu'il en soit, l'air était saturé de bras et de jambes et de je ne sais quoi. Quelque chose frappa le gilet du gars Wooster au niveau du troisième bouton — aussi m'effondrai-je sur le canapé et perdis-je à peu près tout intérêt pour les événements en cours. Quand, au bout d'un moment, je me remis sur pied tant bien que mal, je m'aperçus que Jeeves et le môme s'étaient retirés et que Cyril se tenait au milieu de la pièce en s'ébrouant un peu.

— Qui est cette horrible petite brute, Wooster ?

— Je l'ignore. Je ne l'avais jamais vu avant aujourd'hui.

— Je lui ai flanqué une assez mémorable paire de

taloches avant qu'il se sauve. Vous savez, Wooster, ce gosse a dit une chose vraiment étrange. Il a hurlé quelque chose au sujet d'un dollar que Jeeves lui aurait promis s'il me traitait de... euh... ce qu'il a dit.

Cela me paraissait peu vraisemblable.

— Pourquoi Jeeves aurait-il fait ça?

— Ça m'a paru bizarre, à moi aussi.

— A quoi cela rimerait-il?

— C'est ce que je me demande.

— Je veux dire, qu'est-ce que ça peut bien lui faire, à Jeeves, la tête que vous avez?

— En effet! dit Cyril — avec quelque froideur, me sembla-t-il, je ne sais pas pourquoi. Bon, je me sauve. Bye!

— Tchao!

Ce fut, je crois, environ une semaine après ce curieux petit épisode que George Caffyn m'appela pour me demander si ça me tenterait d'assister à une répétition de son spectacle. La première représentation de *Demande à Papa* devait apparemment avoir lieu là-bas à Schenectady le lundi suivant, et ceci devait être une sorte de répétition générale préliminaire. Une répétition générale préliminaire, m'expliqua ce vieux George, ne différait pas d'une répétition générale ordinaire, dans la mesure où elle tendait à sombrer dans la plus effroyable pagaille et à se prolonger jusqu'aux petites heures du jour, mais était plus excitante, parce qu'il n'y avait pas de minutage et que par conséquent tous les zèbres qui dans ce genre d'occasion donnent libre cours à leurs passions colériques pouvaient intervenir tout leur saoul, ce qui promettait un bien agréable moment pour tous.

La chose devait commencer à huit heures, aussi me pointai-je à dix heures et quart, pour ne pas avoir à attendre trop longtemps avant le début de l'action. La revue des costumes n'était pas encore terminée. George se tenait sur la scène et parlait avec un gars en manches de chemise et un type absolument sphérique, au crâne à peu près chauve et aux grosses lunettes. J'avais vu George avec ce gros plein de soupe une fois ou deux au club, et je savais que c'était Blumenfield, le directeur du théâtre. J'adressai un petit signe à George et me glissai dans un fauteuil au fond de la salle, de façon à être hors d'atteinte lorsque la bataille commencerait. Bientôt George sauta de la scène pour venir me rejoindre, et quelques minutes plus tard le rideau s'abaissa. Le type au piano plaqua un ou deux vigoureux accords, et le rideau se leva à nouveau.

Je ne me rappelle plus très bien quelle était l'intrigue de *Demande à Papa*, mais ce que je sais, c'est que la contribution de Cyril ne semblait pas absolument indispensable au spectacle. Je fus d'abord assez déconcerté. Je suppose qu'à force de ruminer sur son cas et de l'entendre débiter son rôle et de l'écouter expliquer ce qui devrait ou ne devrait pas être fait, j'avais fini par avoir l'impression, bien ancrée dans la vieille cervelle, que le spectacle reposait presque entièrement sur lui et que le reste de la troupe se contentait de meubler les rares instants où il n'occupait pas le devant de la scène. J'attendis près d'une demi-heure qu'il fasse son apparition — jusqu'à ce que je m'aperçoive tout à coup qu'il avait été là depuis le début. C'était, en fait, l'espèce de truand à l'allure bizarre qui s'appuyait à un palmier en pot tout à fait à droite du décor, et qui essayait d'avoir l'air intelligent tandis que l'héroïne chantait une chanson qui disait que l'Amour était quelque chose qui m'est sorti de la mémoire. Après le deuxième refrain, il se mit à danser en compagnie d'une douzaine d'oiseaux d'aspect tout aussi étrange. Un spectacle bien pénible pour quiconque pouvait voir en esprit Tante Agatha sur le sentier de la guerre et le vieux Bassington-Bassington en train de chausser ses brodequins cloutés les plus costauds. Absolument !

La danse venait de se terminer, et Cyril et ses petits camarades s'étaient retirés en coulisse, lorsqu'une voix monta des ténèbres à ma droite.

— Papa !

Le vieux Blumenfield frappa dans ses mains, et le héros, qui venait de prendre son inspiration pour déclamer sa prochaine réplique, s'arrêta net. Je scrutai la pénombre ; et qui vis-je — sinon le petit copain de Jeeves, le gamin aux taches de rousseur ! Il remontait maintenant l'allée d'un pas nonchalant et les mains dans les poches, comme si le théâtre lui appartenait. Une atmosphère de respectueuse attention semblait s'être répandue dans toute la salle.

— Papa, dit le garnement, ce numéro est mauvais !

Le vieux Blumenfield tourna vers l'enfant un visage épanoui.

— Tu ne l'aimes pas, mon lapin ?

— Ça me barbe.

— Tu as tout à fait raison.

— Il faut quelque chose avec du punch, quelque chose qui balance un peu !

— Très juste, fiston. Je vais le noter. Bien. Continuez !

Je me tournai vers George, qui marmonnait dans sa barbe d'un air passablement excédé.

— Dis donc, vieux, qui diable est ce môme ?

Ce pauvre George émit une plainte sourde, comme s'il trouvait en effet tout cela un peu fort.

— Je ne savais pas qu'il avait réussi à entrer! C'est le fils de Blumenfield. Maintenant, on va l'avoir sur le dos.

— Est-ce qu'il fait toujours la loi comme ça?

— Toujours!

— Mais pourquoi le vieux Blumenfield l'écoute-t-il?

— Personne ne le sait au juste. Peut-être est-ce par pur amour paternel, ou bien il le considère comme une mascotte. A mon avis, il estime que le môme possède le même degré d'intelligence que le spectateur moyen, et que ce qui lui plaît plaira aussi au public. Tandis qu'inversement, ce qu'il n'aime pas sera trop minable pour qui que ce soit. Ce mioche est une petite peste, un furoncle, et une vipère, et devrait être étranglé sur-le-champ!

La répétition continua. Le héros vint à bout de son texte. Il y eut un échange de vues assez explosif entre le régisseur et une voix nommée Bill qui tombait du haut des combles, la discussion portant sur le fait de savoir où diable les « jaunes » de Bill se trouvaient à ce moment-là. Puis les choses reprirent leur cours, et enfin la grande scène de Cyril se profila à l'horizon.

L'intrigue m'était encore assez peu claire, mais j'avais cru comprendre que Cyril était une sorte de noble anglais qui était venu en Amérique, sans doute pour les meilleures raisons du monde. Il n'avait eu, jusqu'alors, que deux répliques à dire. L'une était : « Oh! dites donc! », et l'autre « Oui, sapristi! » Mais il me semblait bien, en me rappelant ces heures où il étudiait son rôle à voix haute, qu'avant peu son talent pourrait s'exprimer plus librement. Je me carrai dans mon fauteuil et attendis qu'il commençât.

Ses débuts eurent lieu environ cinq minutes plus

tard. L'atmosphère était devenue quelque peu orageuse entre-temps. La Voix et le régisseur avaient interprété un autre de leurs duos d'amour — cette fois c'étaient les « bleus » de Bill qui semblaient en cause, ou quelque chose comme ça. Et cela s'était à peine tassé qu'un autre petit incident était survenu, parce qu'un pot de fleurs était tombé d'une fenêtre et avait failli assommer le héros. L'ambiance était donc plutôt survoltée, quand Cyril, qui avait attendu son tour au fond de la scène, s'avança vivement au milieu du plateau et s'apprêta à exécuter son morceau de bravoure. L'héroïne avait dit quelque chose — j'ai oublié ce que c'était — et le chœur tout entier, avec Cyril à sa tête, avait commencé à l'entourer de cette façon précipitée qui est d'usage parmi ces gens quand un numéro s'annonce.

La première réplique de Cyril était « Oh! vous savez, il ne faut pas dire ça! » et il me sembla qu'il l'avait dégoisée avec pas mal d'énergie et de *je ne sais quoi*. Mais, sapristi, avant que l'héroïne ait eu le temps de répliquer, notre petit ami aux taches de rousseur avait sauté sur ses pieds pour élever une protestation.

— Papa!

— Oui, mon lapin?

— Celui-là est mauvais.

— Lequel, mon lapin?

— Celui qui ressemble à un poisson.

— Mais ils ressemblent tous à des poissons, mon lapin.

Le môme parut voir le bien-fondé de cette objection. Il précisa sa pensée.

— Le moche.

— Lequel? Celui-là? dit le vieux Blumenfield, en montrant Cyril du doigt.

— Ouais! Il joue comme un pied!

— C'est aussi mon avis.

— C'est à vomir!

— Tu as raison, fiston. Je l'ai déjà remarqué.

Cyril avait écouté ce petit dialogue bouche bée ou presque. Il se précipita vers la rampe. Même de là où j'étais assis, je pouvais voir que cette attaque avait asséné au vieil orgueil ancestral des Bassington-Bassington un coup effroyable. Ses oreilles devinrent toutes rouges, puis son nez, puis ses joues, si bien qu'au bout d'une quinzaine de secondes il ressemblait assez à une explosion dans une conserverie de tomates sur fond de coucher de soleil.

— Qu'est-ce que c'est que ces fichues manières?

— C'est à moi de vous demander ça! cria le vieux Blumenfield. Ne m'insultez pas dans mon théâtre!

— J'ai rudement envie de descendre fesser cette petite brute!

— Quoi?

— Rudement envie!

Le père Blumenfield enfla comme un ballon, et devint plus sphérique que jamais.

— Écoutez, Môssieur... je ne connais pas votre fichu nom...

— Mon nom est Bassington-Bassington, et les fichus Bassington — je veux dire, les Bassington-Bassington n'ont pas l'habitude de...

Le vieux Blumenfield lui dit en quelques mots bien sentis ce qu'il pensait des Bassington-Bassington et de ce dont ils n'avaient pas l'habitude. La troupe tout entière tendit l'oreille pour mieux savourer ses remarques. On pouvait voir des visages dépasser des coulisses et de derrière les arbres.

— Il faut *bien* travailler pour mon papa! dit l'enfant replet en hochant la tête d'un air de reproche.

— Insolent petit morveux! cria Cyril en s'étranglant un peu.

— De quoi? aboya le vieux Blumenfield. Vous comprenez que ce garçon est mon fils?

— Parfaitement, et je vous plains tous les deux!

— Vous êtes renvoyé! beugla le vieux Blumenfield, en enflant encore sensiblement. Sortez de mon théâtre!

Vers dix heures et demie le lendemain matin, juste après que j'eus fini de me lubrifier le vieux gosier avec une bienfaisante tasse de thé Oolong, Jeeves se glissa dans ma chambre pour m'annoncer que Cyril était dans le salon et désirait me voir.

— Comment est-il?

— Monsieur?

— De quoi M. Bassington-Bassington a-t-il l'air?

— Il ne m'appartient guère de critiquer les particularités faciales des amis de Monsieur.

— Ce n'est pas ce que je voulais dire. A-t-il l'air fâché ou quoi?

— Pas à première vue, Monsieur. Il semble très calme.

— Bizarre!

— Monsieur?

— Non, rien. Faites-le entrer, voulez-vous?

J'avoue que je m'étais attendu à ce que Cyril fût un peu plus marqué par la bataille de la veille. J'avais pensé voir un échantillon d'âme excédée et de bajoues tremblotantes, si vous voyez ce que je veux dire. Mais il avait l'air dans son état normal et plutôt gai.

— Salut, Wooster, vieille branche!

— Hello!

— Je suis juste passé vous dire au revoir.

— Au revoir ?

— Oui. Je pars pour Washington dans une heure, dit-il en s'asseyant sur le lit. Vous savez, mon vieux, j'ai bien réfléchi, et je pense que ce ne serait vraiment pas bien de décevoir mon paternel en montant sur les planches et tout. Qu'en pensez-vous ?

— Je comprends votre point de vue.

— Après tout, il m'a envoyé ici pour que je m'enrichisse l'esprit et tout le fichu bataclan, vous savez, et je ne peux m'empêcher de penser que le pauvre vieux serait plutôt secoué si je l'envoyais paître pour faire du théâtre. Je ne sais pas si vous me suivez, mais ce que je veux dire, c'est que c'est une question de conscience.

— Pouvez-vous quitter le spectacle sans que tout en soit chamboulé ?

— Oh ! ça ira. J'ai tout expliqué au père Blumenfield, et il admet tout à fait mes scrupules. Naturellement, il regrette de me perdre — il dit qu'il ne voit pas comment il pourra me remplacer et ainsi de suite —, mais, après tout, même si ça doit lui causer quelques ennuis, je pense que j'ai eu raison de renoncer à mon rôle. Pas vous ?

— Oh ! absolument.

— J'étais sûr que vous seriez d'accord avec moi. Bon, il faut que je file. Vraiment ravi d'avoir plus ou moins fait votre connaissance, et toutes ces fariboles. Tchao !

— Bye !

Et, m'ayant raconté tous ces bobards avec le regard clair, bleu et innocent d'un petit enfant, il partit, satisfait.

Je sonnai Jeeves. Vous savez, depuis la veille au soir, je m'étais pas mal cassé les méninges, et j'avais commencé à piger un certain nombre de choses.

— Jeeves !

— Monsieur ?

— C'est vous qui avez lancé ce chérubin joufflu aux trousses de M. Bassington-Bassington ?

— Monsieur ?

— Oh ! vous m'avez bien compris. Est-ce que vous lui avez dit de le faire renvoyer de la troupe qui joue *Demande à Papa* ?

— Je ne me permettrais pas une telle chose, Monsieur, répondit-il en commençant à sortir mes affaires. Il est possible que le jeune M. Blumenfield ait interprété dans ce sens certaines remarques que j'ai faites en passant, et qui suggéraient que le théâtre n'était sans doute pas un milieu qui convenait parfaitement à M. Bassington-Bassington.

— Vous savez, Jeeves, vous êtes une petite merveille.

— Je m'efforce de donner satisfaction, Monsieur.

— Et je vous suis terriblement obligé, si vous voyez ce que je veux dire. Tante Agatha aurait piqué seize ou dix-sept crises si vous n'aviez pas détourné le pauvre bougre de cette voie.

— J'imagine qu'il aurait pu y avoir en effet quelque désagrément, Monsieur. J'ai sorti le complet bleu à fines rayures rouges, Monsieur. Je pense qu'il sera du meilleur effet.

C'est bizarre, mais ce ne fut qu'après avoir fini mon petit déjeuner et quitté mes appartements, et presque atteint l'ascenseur, que je me rappelai ce que j'avais eu l'intention de faire pour récompenser Jeeves d'avoir été si « sport » dans cette affaire du pauvre Cyril. Ça me fendait le cœur, mais j'avais décidé de capituler et de laisser les chaussettes violettes sortir de ma vie.

Après tout, il y a des moments où un homme doit accepter des sacrifices. J'étais sur le point de rebrousser chemin pour aller lui annoncer la bonne nouvelle, lorsque la porte de l'ascenseur s'ouvrit ; je me dis alors que ça pourrait attendre un peu.

Quand j'entrai dans l'ascenseur, le Noir qui s'occupait de l'engin me regarda d'un air de profonde gratitude et ainsi de suite.

— Je voud'ais vous 'eme'cier, Monsio', de vot'e bonté.

— Hein ? Quoi ?

— Monsio' Jeeves, il m'a donné ces chaussettes violettes là, comme vous lui avez dit. Me'ci beaucoup, Monsio' !

Je baissai les yeux. Les chevilles du loustic n'étaient qu'un flamboiement mauve. Je n'avais jamais rien vu d'aussi élégant.

— Oh ! ah ! De rien ! Très bien ! Content qu'elles vous plaisent !

Enfin — je veux dire — enfin quoi ? Absolument !

11

CAMARADE BINGO

Tout, en fait, a commencé dans Hyde Park — du
côté de la Marble Arch —, là où de drôles d'oiseaux de
toute espèce convergent le dimanche après-midi pour
haranguer la foule, juchés sur des tribunes improvi-
sées. Vous ne m'y verrez pas souvent, mais comme,
par hasard, j'avais une visite à faire à Manchester
Square le dimanche qui suivit mon retour dans notre
bonne vieille métropole, je me retrouvai, marchant
tranquillement dans cette direction pour ne pas arriver
trop tôt, soudain en plein cœur de l'action.

Maintenant que l'Empire n'est plus ce qu'il était,
j'ai toujours l'impression que le parc, surtout le
dimanche, est le centre de Londres, si vous voyez ce
que je veux dire. Pour moi, c'est l'endroit où le
quidam de retour d'exil se sent vraiment sûr d'être
revenu au pays. Après ce qu'on pourrait appeler mon
séjour forcé à New York, je dois reconnaître que je
buvais du petit lait. Ça me réchauffait le cœur
d'entendre tous ces types discourir et de me dire que
tout s'était bien terminé et que le gars Bertrand était
de nouveau à la maison.

Un peu plus loin, à la lisière de la foule, une bande
de paroissiens coiffés de hauts-de-forme commen-

çaient un service missionnaire en plein air; plus près, un athée s'abandonnait à son éloquence avec pas mal d'entrain, bien qu'il fût quelque peu handicapé par une absence de palais; tandis qu'en face de moi se tenait un petit groupe de penseurs sérieux dont la banderole annonçait qu'il s'agissait des « Messagers de l'Avenir Radieux »; et comme j'avançais, un des messagers, un type barbu en chapeau mou à larges bords et en costume de tweed, attaqua le thème du Riche Oisif avec un tel lyrisme et une telle vigueur que je m'arrêtai un moment pour l'écouter pérorer. Peu après, quelqu'un m'adressa la parole.

— Monsieur Wooster, je présume?

C'était un type corpulent, et d'abord son visage ne me dit rien. Puis je le reconnus: c'était l'oncle de Bingo Little, avec qui j'avais déjeuné la fois où le jeune Bingo était tombé amoureux de cette serveuse de snack-bar de Piccadilly. Pas étonnant que je ne l'aie pas identifié sur-le-champ. La dernière fois que je l'avais vu, ç'avait été un vieux monsieur plutôt négligé — venant déjeuner, je m'en souviens, en pantoufles et en veston de velours; tandis que maintenant, il était tiré à bien plus de quatre épingles. Il rayonnait littéralement dans la lumière du soleil avec son haut-de-forme soyeux, sa jaquette, ses demi-guêtres lavande et son pantalon à la dernière mode. Pimpant comme tout.

— Oh! bonjour! dis-je. Ça va bien?

— La santé est excellente, merci. Et vous?

— En pleine forme. Je reviens d'Amérique.

— Ah! Vous avez fait provision de couleur locale pour une de vos délicieuses histoires d'amour?

— Hein? fis-je, me demandant un instant ce qu'il entendait par là. Oh! non. J'avais seulement besoin de changement. Est-ce que vous avez vu Bingo dernièrement ? ajoutai-je aussitôt, car je tenais à détourner le vieux de ce qu'on pourrait appeler le côté littéraire de mon existence.

— Bingo ?

— Votre neveu.

— Ah ! Richard ? Non, pas récemment. Il semble que depuis mon mariage nos relations se soient quelque peu refroidies.

— Désolé de l'apprendre. Ainsi donc vous vous êtes marié depuis notre dernière rencontre ? Mme Little va bien ?

— Ma femme se porte à merveille. Mais… euh… ce n'est *pas* « Mme Little ». Depuis que nous nous sommes vus, un Souverain magnanime a eu l'extrême bonté de m'accorder un grand honneur sous la forme d'une — ah — pairie. A la publication du dernier décret royal, je suis devenu Lord Bittlesham.

— Sapristi ! Vraiment ? Toutes mes félicitations ! Voilà qui vous remonte un homme, hein ? Lord Bittlesham ? Mais c'est vous le propriétaire de Brise de Mer, alors ?

— Oui. Ce mariage m'a ouvert divers horizons. Ma femme s'intéresse au monde des courses, c'est pourquoi j'ai maintenant une petite écurie. Il paraît que Brise de Mer est un des favoris — c'est ainsi qu'on dit, je crois — pour une course qui aura lieu à la fin du mois à Goodwood, le domaine du duc de Richmond, dans le Sussex.

— Le Grand Prix Goodwood ? Je comprends ! J'ai mis un paquet sur ce cheval.

— Ah oui ? Eh bien, j'espère que cette bête justifiera votre confiance. Je ne m'y connais guère moi-même, mais selon ma femme, cet animal est considéré par les turfistes comme étant ce qu'on appelle, je crois, un gagnant sûr.

Tout à coup je remarquai que la foule des badauds regardait dans notre direction avec un intérêt non dissimulé, et je vis le barbu qui nous montrait du doigt.

— Oui, regardez-les, observez-les bien, hurlait-il d'une voix qui couvrait sans peine celle de l'orateur au mouvement perpétuel, et qui enfonçait complètement le service missionnaire. Vous voyez là deux représentants typiques de la classe qui opprime les pauvres depuis des siècles! Des fainéants! Des profiteurs! Regardez un peu le grand mince qui ressemble à un pantin mécanique! A-t-il travaillé honnêtement un seul jour dans sa vie? Non! C'est un pirate, un fumiste, un parasite! Et je parierais qu'il doit encore ce pantalon à son tailleur!

Il paraissait sur le point d'entrer dans des considérations personnelles, et je n'aime pas beaucoup cela. Le vieux Bittlesham, quant à lui, semblait bien s'amuser.

— Ces gars-là ont un prodigieux don d'éloquence, gloussa-t-il. Très incisif.

— Et le gros! continua le type. Regardez-le bien. Savez-vous qui c'est? Lord Bittlesham! Un des pires. Qu'a-t-il donc fait d'autre dans sa vie que d'avaler ses quatre copieux repas quotidiens! Son dieu, c'est son ventre, et il lui sacrifie des offrandes rôties! Ouvrez-lui la panse, et vous y trouverez largement de quoi nourrir dix familles d'ouvriers pendant une semaine!

— Vous savez, ce n'est pas mal tourné, dis-je — mais apparemment le vieux n'avait pas apprécié. Il était devenu écarlate et bouillait comme l'eau d'une casserole.

— Venez, monsieur Wooster, bougonna-t-il. Je serais le dernier à m'opposer à la liberté d'expression, mais je refuse d'écouter ces grossières insultes plus longtemps.

Nous nous éloignâmes donc avec calme et dignité, tandis que le barbu nous poursuivait jusqu'au bout de ses viles insinuations. Fichtrement embarrassant.

Le lendemain je passai au club, et trouvai le jeune Bingo dans le fumoir.

— Salut, Bingo, dis-je en m'approchant de lui avec *bonhomie*[1], car j'étais content de voir le sacripant. Ça boume ?

— Ça peut aller.

— J'ai rencontré ton oncle hier.

Le jeune Bingo se mit à sourire d'une oreille à l'autre.

— Je sais, espèce de fumiste. Allez, assieds-toi, mon vieux, et ne crains pas d'être un parasite. Ça va, tes piratages, en ce moment ? Et tes fumisteries ?

— Seigneur ! Tu n'étais pas là-bas ?

— Si, j'y étais.

— Je ne t'ai pas vu.

— Si, tu m'as vu. Mais tu ne m'as sans doute pas reconnu dans mes broussailles.

— Tes broussailles ?

— Ma barbe, mon gars. Je ne regrette pas mon argent. Excellent camouflage. Bien sûr, c'est embêtant de s'entendre crier à tout bout de champ « Hé ! L'barbu ! », mais il faut bien s'y faire.

Je le dévisageai, les yeux ronds.

— Je ne pige pas.

— C'est une longue histoire. Prends un martini ou une petite tomate, et je te raconterai. Mais avant de commencer, donne-moi franchement ton avis. N'est-ce pas la fille la plus merveilleuse que tu aies jamais vue ?

1. En français dans le texte. (*N.d.T.*)

Il avait sorti une photographie de je ne sais où, comme un prestidigitateur tire un lapin d'un chapeau, et l'agitait devant mes yeux. Il s'agissait apparemment d'une créature de sexe féminin, dont on ne voyait que les yeux et les dents.

— Oh! bon sang! m'exclamai-je. Ne me dis pas que tu es encore amoureux.

Il parut chagriné.

— Comment ça, « encore »?

— Eh bien, je sais pertinemment que tu es tombé amoureux d'une bonne demi-douzaine de nanas depuis le printemps, et nous ne sommes qu'au mois de juillet. Il y a eu cette serveuse, et Honoria Glossop, et…

— Bah! Pour ne pas dire Peuh! Ces filles-là? Des amourettes, sans plus. Maintenant c'est sérieux.

— Où l'as-tu rencontrée?

— Sur l'impériale d'un bus. Elle s'appelle Charlotte Corday Rowbotham.

— Dieu du ciel!

— Ce n'est pas sa faute, la pauvre. Son père l'a baptisée ainsi parce qu'il ne jure que par la Révolution, et il paraît que la vraie Charlotte Corday passait son temps à poignarder les oppresseurs dans leur bain, ce qui lui vaut considération et respect. Il faut que tu rencontres le vieux Rowbotham, Bertie. Un type très bien. Il veut massacrer la bourgeoisie, mettre à sac Park Lane, l'avenue chic, et éventrer la noblesse héréditaire. Quoi de plus réglo, hein? Mais revenons-en à Charlotte. On était donc sur l'impériale, et il a commencé à pleuvoir. Je lui ai proposé de partager mon parapluie, et on a causé de choses et d'autres. Je suis tombé amoureux et je lui ai demandé son adresse, et deux jours plus tard j'ai acheté la barbe et je suis allé voir ses parents.

— Mais pourquoi la barbe?

— Eh bien, elle m'avait parlé de son père dans le bus, et j'avais compris que je devais me joindre à ces zigotos de l'Avenir Radieux si je voulais avoir un pied dans la maison; et bien sûr, si je devais faire des discours dans le Parc, où je pouvais à tout moment tomber sur une douzaine de connaissances, il valait mieux que j'utilise un quelconque déguisement. J'ai donc acheté cette barbe, et tu sais, mon vieux, j'ai fini par drôlement m'attacher à ce truc-là. Quand je l'enlève pour venir ici, par exemple, j'ai l'impression d'être tout nu. Ça m'a bien servi auprès du vieux Rowbotham. Il pense que je suis une espèce de bolchevique qui doit sortir masqué à cause de la police. Il faut absolument que tu rencontres ce vieux Rowbotham, Bertie. Dis-moi, qu'est-ce que tu fais demain après-midi?

— Rien de particulier. Pourquoi?

— Excellent! Alors nous pourrions tous prendre le thé chez toi. J'avais promis d'emmener toute la bande à la *Brasserie Lyons* après un meeting qu'on tiendra à Lambeth, mais comme ça je pourrai faire des économies; et crois-moi, mon gars, en ce moment, pour moi, un sou est un sou. Mon oncle t'a dit qu'il s'était marié?

— Oui. Il a aussi mentionné un refroidissement dans vos relations.

— Refroidissement? Une période glaciaire, oui. Depuis son mariage il dépense comme un fou et c'est sur *moi* qu'il économise. Je suppose que cette pairie a coûté la peau des fesses au vieux babouin. Il paraît que même les titres de baronnet sont hors de prix de nos jours. Et maintenant il a une écurie de course. A propos, tu peux parier ton dernier bouton de col sur

Brise de Mer pour le Grand Prix Goodwood. C'est du tout cuit.

— Entendu.

— Ça ne peut pas rater. Je compte gagner suffisamment avec ce cheval pour épouser Charlotte. Tu iras à Goodwood, bien sûr?

— Et comment!

— Nous aussi. On tiendra un meeting le jour du Grand Prix juste devant le paddock.

— Mais dis donc, tu ne crois pas que ce sera terriblement risqué pour toi? Ton oncle sera sûrement là-bas. Suppose qu'il te reconnaisse. Il sera furieux s'il s'aperçoit que c'est toi qui l'as mis en boîte dans le Parc.

— Comment diable pourrait-il s'en apercevoir? Sers-toi un peu de ta cervelle, espèce de pirate assoiffé de globules rouges! S'il ne m'a pas reconnu hier, pourquoi devrait-il me reconnaître à Goodwood? En tout cas, merci de ta cordiale invitation pour demain, mon vieux. Nous serons ravis d'accepter. Reçois-nous bien, mon gars, et le Ciel te récompensera. A propos, il se peut que je t'aie induit en erreur en utilisant le mot « thé ». Surtout pas de ces tartines beurrées minces comme des pelures d'oignon. Nous avons un bon coup de fourchette, nous autres révolutionnaires. Ce qu'il nous faut, c'est, disons, des œufs brouillés, des petits pains, de la confiture, du jambon, du gâteau, et des sardines. Nous serons là sur le coup de cinq heures.

— Mais, tu sais, je ne suis pas sûr...

— Taratata! Bougre d'idiot, tu ne comprends donc pas que tout ceci te sera rudement utile quand la Révolution éclatera? Quand tu verras le vieux Rowbotham dévaler Piccadilly avec un couteau dégoulinant dans chaque main, tu seras drôlement content de pouvoir lui rappeler qu'un jour il a bu de ton thé et mangé de tes crevettes. Nous serons quatre, Charlotte, bibi, le vieux, et le camarade Butt. Je suppose qu'il voudra venir aussi.

— Et peut-on savoir qui est le camarade Butt ?

— Tu n'as pas remarqué un type à ma gauche dans notre petit groupe hier ? Un gars petit, ratatiné, qui ressemble à un hareng saur tuberculeux. C'est Butt. Mon rival, que le diable l'emporte ! Il est à moitié fiancé à Charlotte pour le moment. C'était le chouchou jusqu'à ce que j'arrive. Il a une voix de stentor, et le vieux en pense beaucoup de bien. Mais nom d'un chien, si je n'arrive pas à faire lâcher prise à ce Butt et à le balancer parmi les déchets dont il n'aurait jamais dû sortir, je ne m'appelle plus Bingo Little, et voilà tout. Il est peut-être fort en gueule, mais il n'a pas mon éloquence. Dieu merci, j'étais le barreur de mon bateau à l'université. Bon, il faut que je me sauve maintenant. Dis donc, tu ne sais pas où je pourrais trouver cinquante livres, par hasard ?

— En travaillant, peut-être ?

— En travaillant ? répéta-t-il, surpris. Moi ? Non, il va falloir que je me débrouille. Je dois mettre au moins cinquante livres sur Brise de Mer. Bon, alors à demain. Mille fois merci, mon vieux, et n'oublie pas les petits pains.

Je ne sais pas pourquoi j'ai toujours ressenti, depuis l'école, un bizarre sentiment de responsabilité à l'égard du jeune Bingo. Car enfin, il n'est pas mon fils, Dieu merci, ni mon frère, ni rien de tel. Il n'a absolument aucun droit sur moi, et pourtant il me semble qu'une part non négligeable de mon existence se passe à m'en faire à son sujet comme une vieille poule ridicule et à le tirer du pétrin. Je suppose qu'il s'agit d'une de mes qualités cachées ou quelque chose comme ça. Quoi qu'il en soit, cette dernière affaire me tracassait. Il paraissait s'évertuer à entrer dans une famille de cinglés, et comment diable comptait-il subvenir aux besoins d'une épouse, même mentalement diminuée, sans le moindre sou, voilà qui me dépassait. Le vieux Bittlesham sucrerait certainement sa mensualité s'il faisait une chose pareille, et sucrer la mensualité d'un garçon comme le jeune Bingo, cela revient à le frapper de toutes ses forces sur la tête avec une hache.

— Jeeves, dis-je une fois rentré chez moi, je suis inquiet.

— Monsieur?

— Au sujet de M. Little. Je ne peux rien vous dire maintenant, car il va amener quelques amis pour prendre le thé demain, et vous aurez l'occasion de vous faire une opinion par vous-même. Je vous demande de bien observer, Jeeves, afin d'arriver à une conclusion.

— Très bien, Monsieur.

— Pour ce thé, il faudra des petits pains.

— Oui, Monsieur.

— Et de la confiture, du jambon, du gâteau, des œufs brouillés, et cinq ou six tombereaux de sardines.

— Des sardines, Monsieur? demanda Jeeves en frissonnant.

— Des sardines.

Il y eut un silence embarrassé.

— Ne m'en veuillez pas, Jeeves. Ce n'est pas ma faute.

— Non, Monsieur.

— Eh bien, ce sera tout.

— Oui, Monsieur.

Je voyais bien que le pauvre garçon était profondément affecté et perplexe.

Le plus souvent, dans la vie, si j'en crois mon expérience, ce que vous aviez prévu de plus affreux se révèle finalement plutôt supportable. Cependant, il en alla tout autrement pour le petit goûter de Bingo. Dès qu'il s'était invité, j'avais pressenti que la chose ne serait pas précisément une partie de plaisir, et ce fut le cas. Et je crois que le plus horrible dans toute cette affaire fut le fait que, pour la première fois depuis que je le connaissais, je vis Jeeves sur le point de perdre son sang-froid. Je suppose que nous avons tous une faille dans notre cuirasse, et le jeune Bingo trouva comme par magie celle de Jeeves lorsqu'il apparut brusquement avec une barbe châtain de quinze bons centimètres au menton. J'avais oublié de prévenir Jeeves au sujet de cette barbe, et elle le prit complètement au dépourvu. Je vis sa mâchoire s'affaisser, et il s'agrippa à la table pour ne pas vaciller. Remarquez, je ne peux pas le lui reprocher. Peu de gens ont jamais été plus hideux que le jeune Bingo dans cette forêt de poils. Jeeves pâlit un peu ; puis ce moment de faiblesse passa et il fut à nouveau lui-même. Mais je me rendais compte qu'il avait été secoué.

Le jeune Bingo était trop occupé à présenter la bande pour remarquer ce genre de détail. C'était vraiment un ramassis de phénomènes. Le camarade Butt ressemblait à un de ces machins qui poussent sur les arbres morts après la pluie ; « mangé aux mites » est l'expression qui me serait venue à l'esprit pour décrire le vieux Rowbotham ; quant à Charlotte, c'était comme si elle me transportait dans un monde différent et redoutable. Non qu'elle fût à proprement parler laide. En fait, si elle avait renoncé aux féculents et fait un peu de gymnastique suédoise, elle aurait été acceptable. Mais il y avait du superflu en elle. Des courbes trop généreuses. « Bien nourrie » : voilà peut-être les vocables les plus adéquats. Et, s'il était possible qu'elle eût un cœur d'or, la première chose qui vous frappait en elle était sa dent en or. Je sais que le jeune Bingo, quand il est en forme, pourrait tomber amoureux d'à peu près n'importe quel membre du sexe opposé ; mais là, je ne parvenais pas à lui trouver une excuse.

— Mon ami, monsieur Wooster, annonça Bingo, pour achever la cérémonie des présentations.

Le vieux Rowbotham me regarda, puis regarda la pièce, et je vis qu'il n'était pas particulièrement satisfait. Mon vieil appartement n'est certes pas aménagé avec un luxe oriental, mais je me suis arrangé pour m'entourer d'un certain confort, et je suppose que ce qu'il découvrait l'agaçait un peu.

— Monsieur Wooster ? dit le vieux Rowbotham. Je peux vous appeler camarade Wooster ?

— Je vous demande pardon ?

— Est-ce que vous êtes des nôtres ?

— Eh bien... euh...

— Est-ce que vous aspirez à la Révolution ?

— Eh bien, je ne peux pas vraiment dire que j'y aspire. Je veux dire, pour autant que je sache, la grande idée là-dedans semble être de massacrer des gens comme moi ; et je reconnais volontiers que cela ne m'emballe pas outre mesure.

— Mais je finirai par le convaincre, intervint le jeune Bingo. Nous discutons ferme. Encore quelques séances et ce sera dans le sac.

Le vieux Rowbotham me considéra d'un air dubitatif.

— Le camarade Bingo est très éloquent, admit-il.

— Je pense qu'il cause d'une façon merveilleuse, déclara la fille.

Le jeune Bingo lui lança un regard empreint d'une telle dévotion amoureuse que j'en vacillai sur mes guibolles. Cela sembla déprimer pas mal aussi le camarade Butt. Il fixa le tapis d'un air renfrogné et marmonna quelque chose au sujet de danses et de volcans.

— Le thé est servi, Monsieur, annonça Jeeves.

— Le thé, p'pa! s'écria Charlotte, en tressaillant comme un vieux cheval de bataille qui entend le son du clairon.

Et nous passâmes à l'action.

C'est drôle comme on peut changer en vieillissant. Je me rappelle qu'à l'école j'aurais vendu mon âme avec joie pour des œufs brouillés et des sardines à cinq heures de l'après-midi; mais j'ai plus ou moins perdu cette habitude en atteignant l'âge adulte; et je dois avouer que je fus épouvanté de voir la manière dont les enfants de la Révolution mirent le nez dans leur assiette pour s'attaquer à la boustifaille. Le camarade Butt lui-même oublia un moment sa maussaderie et s'immergea entièrement dans ses œufs brouillés, ne refaisant surface de temps en temps que pour s'enfiler une autre tasse de thé. Bientôt l'eau chaude vint à manquer, et je me tournai vers Jeeves.

— Il n'y a plus d'eau chaude.

— Très bien, Monsieur.

— Hé! Qu'est-ce que c'est que ça?

Le vieux Rowbotham avait abaissé sa tasse et nous regardait d'un air sévère. Il tapota l'épaule de Jeeves en ajoutant :

— Pas de servilité, mon garçon. Pas de servilité.

— Je vous demande pardon, Monsieur?

— Ne m'appelez pas Monsieur. Appelez-moi camarade. Vous savez ce que vous êtes, mon garçon? Vous êtes le vestige périmé d'un système féodal qui a volé en éclats.

— Très bien, Monsieur.

— S'il y a une chose qui me met hors de moi...

— Prenez une autre sardine, coupa le jeune Bingo — la première chose raisonnable qu'il eût faite depuis que je le connaissais.

Le vieux Rowbotham en prit trois et abandonna le sujet, tandis que Jeeves s'éloignait en douceur. Rien qu'à voir son dos, je savais ce qu'il éprouvait.

Enfin, comme je commençais à croire que cela durerait éternellement, la chose prit fin. Je me rendis compte tout à coup que les « invités » étaient prêts à partir.

Les sardines, et environ trois litres de thé, avaient adouci le vieux Rowbotham. Son expression, tandis qu'il me serrait la main, était plutôt cordiale.

— Je dois vous remercier de votre hospitalité, camarade Wooster, dit-il.

— Oh! ce n'est rien! C'était un plais...

— Hospitalité? grogna le gars Butt, d'une voix qui me fit l'effet d'une explosion sous-marine.

L'air mauvais, il toisait sombrement le jeune Bingo et la fille, qui pouffaient de rire ensemble près de la fenêtre. Il poursuivit :

— Je me demande comment cette nourriture ne s'est pas transformée en cendre dans nos bouches! Des œufs! Des petits pains! Des sardines! Tous arrachés aux lèvres sanglantes des prolétaires affamés!

— Oh! dites donc! En voilà une idée!

— Je vais vous envoyer des choses à lire sur la Cause, dit le vieux Rowbotham. Et bientôt, je l'espère, nous vous verrons à l'un de nos petits meetings.

Jeeves entra pour débarrasser la table, et me trouva assis parmi les ruines. Le camarade Butt pouvait bien s'en prendre à la nourriture, mais il n'avait pas laissé beaucoup de jambon, et si vous aviez barbouillé les lèvres sanglantes des prolétaires affamés de ce qui restait de confiture, cela n'aurait sans doute guère suffi à leur coller la bouche.

— Eh bien, Jeeves, que dites-vous de tout ça?

— Je préférerais ne pas exprimer d'opinion, Monsieur.

— Jeeves, M. Little est amoureux de cette fille.

— C'est ce que j'ai cru comprendre, Monsieur. Elle lui donnait des tapes dans le couloir.

Je fronçai les sourcils.

— Des tapes?

— Oui, Monsieur. Des tapes polissonnes.

— Sapristi! Je ne savais pas qu'ils en étaient déjà là. Comment le camarade Butt a-t-il réagi? Peut-être qu'il n'a rien vu?

— Si, Monsieur. Il a tout remarqué. Il m'a paru extrêmement jaloux.

— On ne peut lui en vouloir. Jeeves. Que faut-il faire?

— Je ne sais pas, Monsieur.

— C'est un peu fort, non?

— Plutôt, Monsieur.

Et ce fut là tout le réconfort que j'obtins de Jeeves.

12

BINGO N'A PAS DE CHANCE

J'avais promis à Bingo de le rencontrer le lendemain, pour lui dire ce que je pensais de son infernale
Charlotte, et je traînais les pieds le long de la rue
Saint-James en me demandant comment diable je
pourrais lui expliquer, sans le blesser dans ses sentiments, que je la considérais comme une des plus
calamiteuses, lorsque... qui vis-je, sinon le vieux Bittlesham et Bingo lui-même, qui sortaient du *Devonshire Club*? Je pressai le pas et les rattrapai.

— Hello! dis-je.

Le résultat de cette simple salutation fut quelque
peu surprenant. Le vieux Bittlesham se mit à trembler
de la tête aux pieds comme une crème renversée au
moment d'un séisme. Ses yeux étaient exorbités et son
visage avait pris une teinte assez nettement verdâtre.

— Monsieur Wooster! s'exclama-t-il en paraissant
se calmer un peu, comme si je n'étais pas après tout ce
qui pouvait lui arriver de pire. Vous m'avez fait une
peur bleue.

— Oh! pardon!

— Mon oncle, murmura le jeune Bingo d'une voix
d'hôpital, n'est pas au mieux de sa forme ce matin. Il a
reçu une lettre de menaces.

— Je crains pour ma vie, dit le vieux Bittlesham.

— Une lettre de menaces?

— Écrite, continua le vieux, par un rustre, et formulée en des termes incontestablement comminatoires. Monsieur Wooster, vous rappelez-vous ce sinistre barbu qui m'a violemment pris à partie dans Hyde Park dimanche dernier?

Je sursautai et jetai un coup d'œil du côté du jeune Bingo. Seule la plus grave compassion pouvait se lire sur son visage.

— Mais... ah... oui, bégayai-je. Un barbu. Un type avec une barbe.

— Pourriez-vous l'identifier, au besoin?

— A vrai dire, Bertie, commença Bingo, nous pensons que c'est ce barbu qui est derrière tout ça. Il se trouve que tard hier soir j'ai traversé le quartier de Pounceby Gardens, où habite Oncle Mortimer, et comme je passais devant sa maison, un individu est descendu en hâte et furtivement du perron. Il venait sans doute de glisser la lettre dans la boîte de la porte d'entrée. J'ai remarqué qu'il était barbu. Cependant je n'y ai pas autrement prêté attention, jusqu'à ce matin, lorsque Oncle Mortimer m'a montré la lettre qu'il avait reçue et m'a raconté l'histoire du barbu dans le Parc. Je vais mener mon enquête.

— Il faudrait prévenir la police, dit Lord Bittlesham.

— Non, dit fermement le jeune Bingo, pas à ce stade des opérations. Cela ne ferait que me gêner. Rassurez-vous, mon oncle. Je pense que je peux retrouver ce type. Je m'occupe de tout. Maintenant je vais vous mettre dans un taxi et discuter la question avec Bertie.

— Tu es un brave garçon, Richard, balbutia le vieux Bittlesham.

Lorsqu'il fut dans son taxi, nous nous éloignâmes ensemble. Tournant la tête, je regardai Bingo droit dans les yeux.

— C'est toi qui as envoyé cette lettre? demandai-je.

— Et comment! Tu aurais dû voir ça, Bertie! Une des meilleures lettres de menaces classiques que j'aie jamais écrites.

— Mais à quoi ça rime?

— Bertie, mon garçon, répondit le jeune Bingo en me prenant le bras avec gravité, j'avais une excellente raison. La postérité dira de moi ce qu'elle voudra, mais s'il y a une chose qu'elle ne pourra jamais dire, c'est bien que je n'avais pas le sens des affaires. Regarde! ajouta-t-il en agitant un bout de papier devant mes yeux.

— Saperlipopette!

C'était un chèque — parfaitement, un vrai chèque de cinquante vraies livres, signé Bittlesham, à l'ordre de R. Little.

— C'est pour quoi faire?

— Pour les frais, dit Bingo en l'empochant. Tu ne penses tout de même pas qu'une enquête pareille puisse se mener sans argent, non? Je vais de ce pas leur couper le sifflet à la banque. Après quoi j'irai voir mon bookmaker et je miserai tout sur Brise de Mer. Ce qu'il faut dans des situations comme celle-ci, Bertie, c'est du tact. Si j'étais allé demander cinquante livres à mon oncle, est-ce qu'il me les aurait données? Non! Mais en faisant preuve de tact — oh! à propos, que penses-tu de Charlotte?

— Eh bien... Euh...

Le jeune Bingo me malaxa affectueusement le bras.

— Je sais, mon vieux, je sais. N'essaie pas de

trouver les mots. Elle t'a épaté, hein ? Elle t'a laissé sans voix, non ? Ça ne m'étonne pas. Elle produit cet effet-là sur tout le monde. Bon, je te laisse, mon vieux. Oh ! avant qu'on se sépare — Butt ! Que penses-tu de Butt ? La pire erreur de la nature, non ?

— Je dois dire que j'ai vu de plus joyeux lurons.

— Je crois qu'il est battu à plates coutures, Bertie. Charlotte vient avec moi au zoo cet après-midi. Seule. Et ensuite au cinéma. C'est le commencement de la fin, tu ne crois pas ? Eh bien, va, ami de ma jeunesse. Si tu n'as rien de mieux à faire ce matin, pourquoi n'irais-tu pas rôder du côté de Bond Street pour choisir un cadeau de mariage ?

Je perdis de vue Bertie après cette rencontre. Je laissai deux ou trois messages au club lui demandant de m'appeler, mais ils demeurèrent sans effet. Je supposais qu'il était trop occupé pour répondre. Les Fils de l'Avenir Radieux disparurent aussi de ma vie. Cependant Jeeves me dit qu'il avait rencontré le camarade Butt un soir et échangé quelques mots avec lui. Il le décrivit comme étant plus morose que jamais. Dans la compétition pour la grassouillette Charlotte, la cote de Butt était apparemment au plus bas.

— Il semblerait que M. Little eût complètement disparu, Monsieur, dit Jeeves.

— Mauvaise nouvelle, Jeeves ; mauvaise nouvelle !

— Oui, Monsieur.

— Je suppose que ce qu'il faut en conclure, Jeeves, c'est que lorsque le jeune Bingo s'y met vraiment, il n'y a aucune force au monde qui puisse le retenir de faire l'andouille.

— En effet, Monsieur.

Puis arriva le jour du Prix Goodwood. J'exhumai mon meilleur costume et filai là-bas.

Je ne sais jamais, quand je raconte une histoire, si je dois m'en tenir strictement aux faits, ou en tartiner des tonnes sur l'atmosphère et tout ça. Je veux dire, bien des types entameraient sûrement le dernier round de ce chapitre en décrivant longuement Goodwood, avec son ciel bleu, son paysage de collines, sa joyeuse foule de pickpockets, et celle de leurs partenaires involontaires, et — en un mot, tout le bazar. Mais je crois qu'il vaut mieux sauter ça. Même si je voulais raconter cette fichue réunion hippique par le menu, je ne pense pas que j'aurais le cœur à le faire. Tout cela est trop récent. L'angoisse n'a pas eu le temps de s'apaiser. Ce qui s'est passé, voyez-vous, c'est que Brise de Mer (maudit soit-il!) n'a figuré absolument nulle part à l'arrivée du Grand Prix. Croyez-moi, nulle part.

De tels moments éprouvent l'âme d'un homme. Il n'est jamais agréable de se laisser avoir par un favori qui se fait larguer, et dans le cas particulier de ce sacré canasson, chacun en était venu à considérer la course elle-même comme une simple formalité, une sorte de rituel pittoresque et désuet auquel il fallait assister avant de se diriger nonchalamment vers le guichet pour recevoir son dû. Je m'étais écarté du paddock pour essayer d'oublier, quand je me heurtai au vieux Bittlesham. Il avait l'air si désemparé et cramoisi, les yeux lui sortaient à ce point de la tête, que je tendis simplement ma main et serrai la sienne en silence.

— Moi aussi, dis-je. Moi aussi. Combien y avez-vous laissé, vous?

— Laissé?

— Sur Brise de Mer.

— Je n'ai pas parié sur Brise de Mer.

— Quoi! Vous êtes le propriétaire du favori du Grand Prix, et vous ne misez rien sur lui!

— Je ne joue jamais aux courses. C'est contre mes principes. Il paraît que ce cheval n'a pas gagné l'épreuve.

— Pas gagné! Il était si loin derrière qu'il a failli arriver premier de la course suivante!

— Tss, tss! fit le vieux Bittlesham.

— Tss, tss, en effet, opinai-je, puis la bizarrerie de la chose me frappa.

Je continuai :

— Mais si vous n'avez pas perdu un paquet dans cette course, pourquoi avez-vous l'air si agité?

— Ce type est ici!

— Quel type?

— Le barbu.

Vous comprendrez la profondeur de mon désarroi quand je vous aurai dit que c'était la première fois que la pensée du jeune Bingo m'effleurait. Je me rappelai soudain qu'il m'avait dit qu'il serait à Goodwood.

— Il tient en ce moment même un discours incendiaire dirigé spécifiquement contre ma personne. Venez! C'est là où il y a cette foule.

Il m'entraîna et, utilisant son propre poids d'une manière scientifique, nous fraya un chemin jusqu'au premier rang.

— Regardez! Écoutez!

Aucun doute, le jeune Bingo en débitait des vertes et des pas mûres. Inspiré par le désespoir d'avoir mis son petit pécule sur un ringard qui n'avait même pas fini dans les six premiers, il vilipendait sans retenue excessive la noirceur de cœur de ces propriétaires ploutocrates qui laissent croire à un public confiant qu'un cheval est du tonnerre, alors qu'il ne peut pas trotter jusqu'au bout de son écurie sans s'emmêler les pattes et s'asseoir pour se reposer. Après quoi il commença à peindre ce qui, je dois dire, était un tableau très émouvant d'un foyer ouvrier ruiné par cette malhonnêteté. Il nous décrivit le pauvre ouvrier, plein d'optimisme et de naïve confiance, croyant tout ce que les journaux racontaient sur la forme de Brise de Mer ; privant sa femme et ses enfants de nourriture afin de tout miser sur l'odieuse bête ; s'abstenant même de bière pour pouvoir ajouter encore un shilling ; volant dans la tirelire du bébé avec une épingle à chapeau la veille de la course ; et pour finir, se voyant horriblement trahi. C'était bigrement impressionnant. Je pouvais apercevoir le vieux Rowbotham qui hochait doucement la tête, tandis que ce pauvre vieux Butt lançait à l'orateur des regards noirs où se lisait une jalousie mal dissimulée. La foule buvait les paroles de Bingo.

— Mais qu'est-ce que ça peut lui faire, à Lord Bittlesham, criait-il, que le pauvre ouvrier perde toutes ses économies si durement gagnées ? Je vous le dis, chers amis et camarades, vous pouvez parler, vous pouvez discuter, vous pouvez applaudir, vous pouvez passer des résolutions, mais ce qu'il vous faut, c'est de l'Action ! De l'Action ! Les honnêtes gens ne pourront vivre sur cette terre tant que le sang de Lord Bittlesham et compagnie n'aura pas coulé dans les caniveaux de Park Lane !

La populace rugit son approbation. La plupart de ces gens, je suppose, avaient mis leur petite somme sur ce satané cheval, et ils en avaient gros sur le cœur. Le vieux Bittlesham bondit jusqu'à un agent de police corpulent et morose qui regardait placidement la scène, et sembla l'exhorter à lui venir en aide. L'agent tira sur sa moustache et sourit avec bienveillance, mais ne parut pas disposé à aller plus loin ; et le vieux revint vers moi, en soufflant comme un phoque.

— C'est monstrueux! Cet homme menace directement ma sécurité personnelle, et ce policier refuse d'intervenir. Il a dit que ce n'étaient que des paroles! Des paroles! C'est monstrueux!

— Absolument, acquiesçai-je — mais je dois convenir qu'il n'en parut pas très réconforté.

C'était maintenant le camarade Butt qui avait la parole. Sa voix évoquait la trompette du Jugement dernier, vous entendiez clairement tout ce qu'il disait, et pourtant la mayonnaise ne semblait pas prendre. Je suppose qu'il était trop impersonnel, si c'est bien là le mot qui convient. Après le discours de Bingo, les spectateurs attendaient quelque chose de bien plus corsé que de fades réflexions générales sur la Cause. Ils avaient commencé à chahuter le pauvre bougre avec pas mal d'entrain, lorsqu'il s'arrêta au beau milieu d'une phrase, et je vis que son regard était fixé sur le vieux Bittlesham.

La foule crut à une panne d'inspiration.

— Eh, c'est l'heure du biberon? cria quelqu'un.

Le camarade Butt sursauta, se ressaisit, et même de là où j'étais, je pus voir une lueur mauvaise dans ses yeux.

— Ah! hurla-t-il, vous pouvez vous moquer de moi, camarades; vous pouvez railler, ricaner, vous gausser. Mais permettez-moi de vous dire que le Mouvement gagne du terrain chaque jour et chaque minute. Oui, il en gagne, même parmi les prétendues couches supérieures de la société. Peut-être me croirez-vous quand je vous dirai qu'ici, aujourd'hui, oui, ici même, nous avons dans notre petit groupe un de nos militants les plus actifs — le neveu de ce même Lord Bittlesham dont vous conspuiez le nom il y a seulement un instant.

Et, sans laisser à ce vieux Bingo le temps de réagir, il tendit brusquement la main et empoigna la barbe. Celle-ci vint d'une seule pièce, et, quel qu'ait été le succès remporté par le discours de Bingo, ce n'était rien du tout comparé au triomphe qu'obtint cette petite démonstration. J'entendis le vieux Bittlesham émettre un hoquet de stupéfaction à mon côté, et s'il fit un quelconque commentaire, celui-ci fut noyé sous un tonnerre d'applaudissements.

Je dois reconnaître qu'en cet instant critique le jeune Bingo fit preuve de beaucoup d'à-propos et de caractère. En un éclair il saisit le camarade Butt par le cou et tenta de lui dévisser la tête. Mais avant qu'il ne pût parvenir à quelque résultat, le gardien de la paix à l'air triste, s'animant comme par magie, était accouru, et bientôt il se frayait un chemin à travers la foule, en tenant Bingo de la main droite, et le camarade Butt de la gauche.

— S'il vous plaît, monsieur, laissez-moi passer, dit-il courtoisement en s'approchant du vieux Bittlesham, qui bouchait le chemin.

— Hein ? fit celui-ci, encore tout ahuri.

En entendant sa voix, le jeune Bingo leva vivement les yeux de derrière l'épaule droite de l'agent, dans l'ombre de laquelle il se tenait, et alors tout son aplomb parut l'abandonner en une seconde. Il baissa la tête comme un fichu lis fané, puis s'éloigna d'un pas mal assuré, en traînant les pieds. Il avait l'air d'un homme assommé par un coup terrible.

En général, quand Jeeves m'apporte mon petit déjeuner, il pose le plateau sur ma table de chevet, puis il quitte la pièce de sa manière souple et silencieuse et me laisse boire mon thé ; mais parfois il se met à évoluer un peu à la façon d'un cygne respectueux au milieu du tapis, et alors je sais qu'il désire me parler. Le lendemain de mon retour de Goodwood, j'étais allongé dans mon lit, les yeux perdus au plafond, lorsque je m'aperçus qu'il était toujours avec moi.

— Oh! bonjour, dis-je. Oui?

— M. Little est passé tout à l'heure, Monsieur.

— Oh! bon sang, c'est vrai? Est-ce qu'il vous a dit ce qui était arrivé?

— Oui, Monsieur. C'est à ce sujet qu'il voulait vous voir. Il a l'intention de se retirer à la campagne et d'y séjourner un petit moment.

— Il a fichtrement raison.

— C'était aussi mon avis, Monsieur. Il y avait cependant un petit problème financier à résoudre. Je me suis permis de lui avancer dix livres de votre part pour faire face aux besoins les plus pressants. J'espère que Monsieur m'approuvera?

— Oh! bien sûr. Prenez un billet de dix sur la coiffeuse.

— Très bien, Monsieur.

— Jeeves.

— Monsieur?

— Ce qui me dépasse, c'est comment diable tout ceci a pu arriver. Je veux dire, comment le gars Butt a-t-il bien pu savoir qui il était?

Jeeves toussa.

— Je crains, Monsieur, d'avoir été quelque peu coupable en cette occasion.

— Vous? Comment ça?

— Je crains d'avoir inconsidérément révélé l'identité de M. Little à M. Butt lors de cette petite conversation que j'ai eue avec lui.

151

Je me redressai sur mon séant.

— Quoi?

— Oui, maintenant que je me rappelle cet incident, Monsieur, je me revois distinctement en train de dire que les efforts de M. Little pour promouvoir la Cause me semblaient mériter d'être publiquement reconnus. Je regrette profondément d'avoir été la cause d'une brouille provisoire entre M. Little et son oncle, Lord Bittlesham. Et je crains qu'il y ait encore autre chose. Je suis aussi responsable de la rupture entre M. Little et la jeune demoiselle qui est venue prendre le thé ici.

Je me redressai à nouveau. C'est bizarre, mais le bon côté des choses m'avait complètement échappé jusque-là.

— Vous voulez dire que tout est fini entre eux?

— Exactement, Monsieur. M. Little m'a laissé à entendre que ses espoirs dans ce domaine pouvaient désormais être considérés comme définitivement réduits à néant. Il m'a confié que, n'y aurait-il aucun autre obstacle, le père de la jeune demoiselle était maintenant convaincu qu'il était un espion et un traître.

— Sapristi! Ça alors!

— Il semble que j'aie causé par inadvertance beaucoup d'ennuis à tous ces gens, Monsieur.

— Jeeves!

— Monsieur?

— Combien d'argent y a-t-il sur la coiffeuse?

— Outre le billet de dix livres que vous m'avez dit de prendre, Monsieur, il y a deux billets de cinq livres, trois d'une livre, une pièce de dix shillings, deux demi-couronnes, un florin, quatre shillings, six pence et un demi-penny, Monsieur.

— Prenez tout, dis-je. Vous l'avez bien gagné.

13

LE GRAND HANDICAP DES SERMONS

En général, une fois que le Grand Prix Goodwood est passé, je m'aperçois que je deviens un peu nerveux. Ce n'est pas que d'ordinaire je sois très friand de petits oiseaux et d'arbres et de grands espaces naturels, mais il ne fait aucun doute que Londres n'est pas au mieux de sa forme au mois d'août; cette ville finit par me hérisser le poil et me donner envie de filer à la campagne jusqu'à ce que les choses s'animent un tant soit peu. Environ deux semaines après le dénouement spectaculaire que je viens de vous conter, Londres était vide et sentait l'asphalte brûlé. Tous mes potes étaient partis, la plupart des théâtres étaient fermés, et Piccadilly n'était qu'un vaste chantier.

La chaleur était absolument infernale. Un soir, alors qu'assis dans le vieil appartement j'essayais de trouver la force d'aller me coucher, je sentis que je ne pourrais pas endurer cela beaucoup plus longtemps. Et quand Jeeves entra avec sur son plateau de quoi me remonter un peu, je ne tournai pas autour du pot.

— Jeeves, dis-je en m'essuyant le front et en suffoquant comme un poisson rouge hors de son bocal, il fait rudement chaud.

— En effet, Monsieur, il fait vraiment lourd.

— Doucement avec l'eau gazeuse, Jeeves.

— Bien, Monsieur.

— Je crois que nous en avons assez de la capitale pour le moment, et qu'un petit changement ne nous ferait pas de mal, hein, Jeeves, qu'en dites-vous ?

— Je dirais que ce n'est pas faux, Monsieur. Il y a une lettre sur le plateau, Monsieur.

— Sapristi, Jeeves, c'était presque de la poésie. Ça rimait, vous avez remarqué ?

J'ouvris la lettre.

— Dites donc, voilà qui est assez extraordinaire.

— Monsieur ?

— Vous connaissez le château de Twing ?

— Oui, Monsieur.

— Eh bien, M. Little est là-bas.

— Vraiment, Monsieur ?

— Lui-même, en chair et en os. Il a dû se remettre au métier de précepteur.

Après cette affreuse histoire de Goodwood, lorsque le jeune Bingo Little, un homme brisé, s'était volatilisé dans la nature après m'avoir tapé d'un billet de dix, j'étais allé voir tous nos amis communs pour leur demander s'ils avaient de ses nouvelles, mais en vain. Et tout ce temps-là il était au château de Twing. Bizarre. Et je vais vous dire pourquoi c'était bizarre. Le château de Twing appartient à ce vieux Lord Wickhammersley, un grand ami de mon paternel du temps qu'il vivait encore, et ses portes me sont toujours ouvertes, je peux aller là-bas quand ça me chante. J'y séjourne en général une semaine ou deux pendant la saison estivale, et je songeais à m'y rendre avant de lire la lettre.

— Et qui plus est, Jeeves, mes cousins Claude et Eustache — vous vous souvenez d'eux ?

154

— Très clairement, Monsieur.

— Eh bien, ils sont aussi là-bas, ils étudient avec le pasteur pour passer je ne sais quel examen. J'ai moi-même étudié avec lui autrefois. Il est réputé dans toute la région pour être un répétiteur assez fortiche avec ceux dont l'intellect manifeste des signes de faiblesse. Quand je vous aurai dit qu'il a réussi à me faire passer le bac, vous comprendrez qu'il tient du prodige. Dans mon cas, c'est vraiment un exploit.

Je relus la lettre. Elle était d'Eustache. Claude et lui sont jumeaux, et on s'accorde plus ou moins à penser qu'ils sont le fléau de l'espèce humaine.

> Le presbytère, Twing, Glos.
>
> Cher Bertie — veux-tu gagner un peu d'argent ? J'ai appris que tu n'avais pas eu de veine à Goodwood, alors ceci devrait t'intéresser. Viens ici en vitesse pour participer au plus grand événement sportif de la saison. Je t'expliquerai quand je te verrai, mais tu peux me croire, ça vaut le coup.
>
> Claude et moi faisons partie d'un groupe d'étudiants ici chez le vieux Heppenstall. Nous sommes neuf, sans compter ton copain Bingo Little, qui est le précepteur du gosse au château.
>
> C'est une occasion en or, alors ne la rate pas, car elle ne se reproduira peut-être jamais. Viens te joindre à nous. Bien à toi,
>
> Eustache.

Je tendis cette missive à Jeeves. Il la lut avec attention.

— Qu'en pensez-vous ? Voilà une communication assez mystérieuse, non ?

— Messieurs Claude et Eustache sont des jeunes

gens pleins d'allant, Monsieur. J'incline à croire qu'ils manigancent quelque chose.

— Oui. Mais quoi, à votre avis ?

— Je ne saurais le dire, Monsieur. Avez-vous remarqué qu'il y a quelque chose d'écrit au verso ?

— Hein, quoi ? fis-je en m'emparant de la feuille. Voici ce qui figurait au verso :

HANDICAP DES SERMONS
COTES DES CONCURRENTS
PARTANTS PROBABLES

Révérend Joseph Tucker (Badgwick), départ scratch.

Rév. Leonard Starkie (Stapleton), *id*.

Rév. Alexander Jones (Hauts de Bingley), trois minutes.

Rév. W. Dix (Clickton-la-Haute-Plaine), cinq minutes.

Rév. Francis Heppenstall (Twing), huit minutes.

Rév. Cuthbert Dibble (Petit Boustead), neuf minutes.

Rév. Orlo Hough (Grand Boustead), *id*.

Rév. J.J. Roberts (Fale-la-Rivière), dix minutes.

Rév. G. Hayward (Bas de Bingley), douze minutes.

Rév. James Bates (Gandle-la-Colline), quinze minutes.

(Tous arrivés)

COTES. — Tucker, Starkie, 5 contre 2 ; Jones, 3 contre 1 ; Dix, 9 contre 2 ; Heppenstall, Dibble, Hough, 6 contre 1 ; les autres, 100 contre 8.

J'étais perplexe.

— Vous y comprenez quelque chose, vous ?

— Non, Monsieur.

— En tout cas, il me semble que nous devrions aller voir de quoi il retourne, non ?

— Sans aucun doute, Monsieur.

— Eh bien, c'est décidé. Ficelez un plastron de rechange et une brosse à dents dans un joli papier d'emballage, télégraphiez à Lord Wickhammersley pour lui dire que nous arrivons, et réservez deux places dans le train qui quitte Paddington demain à cinq heures dix.

Le train de cinq heures dix était en retard comme d'habitude, et tout le monde s'habillait pour dîner quand j'arrivai au château. Ce ne fut qu'en sautant dans mes frusques du soir en un temps record et en descendant l'escalier en deux bonds que je parvins à coiffer la soupe au poteau. Je me glissai sur la chaise inoccupée et m'aperçus que j'étais assis à côté de la fille cadette du vieux Wickhammersley, Cynthia.

— Ah ! salut, ma vieille, dis-je.

Cynthia et moi avons toujours été très copains. Pour tout dire, il y eut un temps où je me figurais que j'étais amoureux d'elle. Mais ça n'a pas duré très longtemps. C'est pourtant une fille rudement jolie et vive et séduisante, mais elle a la tête farcie d'idéal et tout. Je ne voudrais pas être injuste, mais j'ai l'impression que c'est le genre de fille qui attend d'un type qu'il soit follement ambitieux et ainsi de suite. Je me rappelle l'avoir entendue parler favorablement de Napoléon. De sorte que la bonne vieille flamme a fini par faire long feu, si j'ose dire, et maintenant on est juste copains. Je pense qu'elle est géniale, et elle pense que je suis quasiment demeuré, si bien que tout se passe à merveille entre camarades.

— Alors, Bertie, tu es arrivé ?

— Oh! oui, je suis arrivé. Me voici en effet. Dis donc, qu'est-ce que c'est que cette petite surprise-partie? Qui sont tous ces bipèdes?

— Oh! rien que des gens des environs. Tu connais la plupart d'entre eux. Tu te rappelles le colonel Willis, et les Spencer...

— Oui, bien sûr. Et voilà le vieux Heppenstall. Qui est l'autre pasteur à côté de Mme Spencer?

— Le pasteur Hayward, des Bas de Bingley.

— Qu'est-ce qu'il y a comme ecclésiastiques ici! Tiens, j'en vois encore un, à côté de Mme Willis.

— C'est M. Bates, le neveu du révérend Heppenstall. Il est maître-assistant à Eton. Il est ici pendant les vacances d'été pour suppléer le révérend Spettigue, le pasteur de Gandle-la-Colline.

— Il me semblait bien le reconnaître. Il était en quatrième année à Oxford quand j'étais en première année. Il ne manque pas de tempérament. Champion de l'équipe d'aviron et tout.

Je passai à nouveau les hôtes en revue et aperçus le jeune Bingo.

— Ah! le voilà, dis-je. Cette vieille branche.

— Voilà qui?

— Bingo Little. Un grand pote à moi. C'est le précepteur de ton frère, tu sais.

— Bonté divine! C'est un ami à toi?

— Et comment! Je le connais depuis toujours.

— Alors dis-moi, Bertie, entre nous, est-ce qu'il n'est pas un peu faible d'esprit?

— Faible d'esprit?

— Je ne dis pas ça parce que c'est un de tes amis. Mais son comportement est si étrange.

— Pourquoi étrange?

— Eh bien, il n'arrête pas de me regarder d'une façon si bizarre.

158

— Bizarre ? Comment ça ? Montre-moi, imite-le.

— Pas devant tous ces gens.

— Mais si. Je vais lever ma serviette.

— Bon, d'accord. Vite. Voilà !

Étant donné qu'elle ne disposait que d'environ une seconde et demie, il faut avouer qu'elle s'en tira à merveille. Ses yeux et sa bouche s'ouvrirent tout grands, sa mâchoire pendit de travers, bref, elle parvint à ressembler si fidèlement à un veau éthylique que je reconnus aussitôt les symptômes.

— Oh ! ce n'est rien, dis-je. Inutile de s'alarmer. Il est tout simplement amoureux de toi.

— Amoureux de moi. Ne dis pas de bêtises.

— Ma chère vieille, tu ne connais pas le jeune Bingo. Il peut tomber amoureux de *n'importe qui*.

— Merci !

— Oh ! ce n'est pas ce que je voulais dire. Ça ne m'étonne pas qu'il en pince pour toi. Moi-même, j'ai bien été amoureux de toi autrefois.

— Autrefois ? Ah ! Et tout ce qu'il en reste, ce sont des cendres froides, c'est ça ? Décidément, ce soir, tu es plein de tact, Bertie.

— Mais bon sang, ma chérie, puisque tu m'as envoyé paître et que tu as failli attraper un hoquet chronique à force de rire quand je t'ai demandé...

— Oh ! je ne te fais pas de reproches. Les torts étaient sûrement partagés. Il est beau, n'est-ce pas ?

— Beau ? Bingo ? Bingo, beau ? Mais... je... allons donc... sérieusement !

— Je veux dire, comparé à certains, précisa Cynthia.

Un peu plus tard, Lady Wickhammersley donna aux représentantes de la gent féminine le signal de la retraite, et elles cavalèrent docilement vers la porte.

Je n'eus pas l'occasion de parler au jeune Bingo après leur départ, et ensuite, au salon, je ne le vis pas. Finalement je le trouvai dans sa chambre, allongé, les pieds sur la barre du lit, et fumant la pipe. Un calepin reposait sur le couvre-lit près de lui.

— Salut, vieux farceur, dis-je.

— Salut, Bertie, répondit-il, d'une voix qui me sembla passablement morose et distraite.

— C'est drôle de te trouver là. Je suppose que ton oncle t'a coupé les vivres après cette histoire de Goodwood et qu'il t'a fallu chercher un boulot de précepteur pour pouvoir subsister?

— Exact, soupira le jeune Bingo, exceptionnellement concis.

— Tu aurais pu informer les copains de ta nouvelle adresse, non?

Il fronça les sourcils, plus sombre que jamais.

— Je ne voulais pas qu'ils sachent où j'étais. Je désirais disparaître quelque part et y rester caché. Ces dernières semaines ont été bien dures pour moi, Bertie. Le soleil a cessé de briller...

— C'est curieux, on a eu un temps superbe à Londres.

— Les oiseaux ont cessé de chanter...

— Quels oiseaux?

— Bon sang! qu'est-ce que ça peut faire? riposta Bingo, sur un ton plutôt sec. N'importe quels oiseaux. Les oiseaux qu'on voit par ici. Tu ne veux pas que je les appelle par leur petit nom? Crois-moi, Bertie, le coup a été dur au début, très dur.

— Quel coup? demandai-je, car je ne voyais pas du tout de quoi le sacripant pouvait bien parler.

— La traîtrise délibérée de Charlotte.

— Oh! ah!

160

J'avais si souvent vu ce pauvre vieux Bingo malheureux en amour que j'avais presque oublié qu'une
fille était mêlée à cette affaire de Goodwood. Bien
sûr! Charlotte Corday Rowbotham. Elle l'avait
envoyé promener, je m'en souvenais à présent, et elle
était partie avec le camarade Butt.

— J'ai beaucoup souffert. Cependant, ces derniers
temps, je... euh... ça va un peu mieux. Dis-moi,
Bertie, qu'est-ce que tu fais ici? Je ne savais pas que tu
connaissais ces gens.

— Moi? Mais je les connais depuis ma plus tendre
enfance.

Le jeune Bingo se redressa en un tournemain et ses
talons heurtèrent le plancher.

— Tu veux dire que tu connais Lady Cynthia depuis
tout ce temps?

— Et comment! Elle avait à peine sept ans la
première fois que je l'ai vue.

— Grands dieux! s'exclama le jeune Bingo.

Il me dévisagea comme si je revêtais enfin une
certaine importance à ses yeux, et avala de travers une
bouffée de fumée.

— J'aime cette fille, Bertie, ajouta-t-il quand il eut
fini de tousser.

— Oui. Chouette fille, naturellement.

Il me lança un regard passablement hostile.

— Ne parle pas d'elle de cette façon horriblement
désinvolte. C'est un ange. Un ange! Elle n'a pas du
tout parlé de moi au dîner, Bertie?

— Oh! si.

— Qu'est-ce qu'elle a dit?

— Je me rappelle une chose. Elle a dit qu'elle te
trouvait beau.

Le jeune Bingo ferma les yeux, comme en extase.
Puis il prit son calepin.

— Sois gentil, mon vieux, sauve-toi maintenant, dit-il d'une voix sourde et lointaine. J'ai des choses à écrire.

— Des choses?

— De la poésie, si tu veux savoir. J'aurais rudement préféré, continua Bingo avec amertume, qu'on lui ait donné un autre nom que Cynthia. Il n'y a pas un foutu mot qui rime avec ça. O mes aïeux, quelles merveilles n'aurais-je pas écrites si elle s'était appelée Jeanne!

Le lendemain de bonne heure, alors que j'étais dans mon lit, clignant des yeux à cause des reflets du soleil sur la coiffeuse, et me demandant quand Jeeves allait s'amener avec une tasse de thé, un poids lourd s'abattit sur mes orteils, et la voix du jeune Bingo pollua l'air de ma chambre. Le sacripant s'était apparemment levé avec les poules.

— Laisse-moi, dis-je, je veux être seul. Je ne peux voir personne tant que je n'ai pas pris mon thé.

— Quand Cynthia sourit, récita Bingo, les cieux sont d'azur; le monde est rose et pur; les oiseaux font des trilles, et de joie je vacille, quand Cynthia sourit.

Il toussa et continua sur un autre ton:

— Quand Cynthia s'assombrit...

— Mais qu'est-ce que tu racontes?

— Je te lis mon poème. Celui que j'ai écrit pour Cynthia hier soir. Je continue, hein?

— Non!

— Non?

— Non. Je n'ai pas eu mon thé.

A cet instant Jeeves entra avec le bon vieux breuvage, et je bondis dessus avec un cri de joie. Après deux ou trois gorgées, le monde me parut un peu plus vivable. L'aspect du jeune Bingo lui-même n'était plus tout à fait aussi pénible. A peine eus-je fini ma première tasse que je me sentis un homme nouveau, au point que non seulement j'autorisai, mais j'encourageai le pauvre bougre à lire le reste de son fichu poème, et j'allai même jusqu'à critiquer la scansion du quatrième vers de la cinquième strophe. Nous en discutions encore lorsque la porte s'ouvrit en coup de vent pour laisser passer Claude et Eustache. Une des choses qui me dépriment le plus dans la vie à la campagne, c'est l'heure effrayante à laquelle la vie se met en branle. J'ai même connu des endroits où on me tirait du plus profond sommeil vers six heures et demie pour aller nager dans le lac. A Twing, Dieu merci, on me connaît, et on me laisse prendre mon petit déjeuner au lit.

Les jumeaux parurent contents de me voir.

— Ce bon vieux Bertie! dit Claude.

— Un ami sûr! renchérit Eustache. Le pasteur nous a dit que tu étais arrivé. Je pensais bien que ma lettre te ferait venir.

— On peut toujours compter sur Bertie, affirma Claude. Sportif jusqu'au bout des ongles. Est-ce que Bingo t'a mis au courant?

— Pas du tout. Il parlait d...

— On parlait d'autre chose, m'interrompit aussitôt Bingo.

Claude prit la dernière des fines tartines beurrées, et Eustache se versa une tasse de thé. Puis ce dernier prit la parole en s'installant confortablement :

— Voici de quoi il s'agit, Bertie. Comme je te l'ai dit dans ma lettre, nous sommes neuf à étudier avec le vieux Heppenstall dans ce trou perdu. Naturellement, rien n'est plus agréable que de transpirer sur les

163

classiques par quarante degrés à l'ombre, mais au bout d'un moment on commence vraiment à éprouver le besoin de se détendre un peu ; et sapristi, il n'y a dans ce bled absolument aucune distraction. Alors Steggles a eu une idée. Il fait partie de notre groupe, et, entre nous, c'est plutôt un minable, d'ordinaire. Mais il faut reconnaître que c'est lui qui a eu cette idée.

— Quelle idée ?

— Eh bien, tu sais qu'il y a pas mal de pasteurs dans les environs. On compte une douzaine de hameaux dans un rayon de dix kilomètres, et chaque hameau a son église, et chaque église a son pasteur, et chaque pasteur fait un sermon chaque dimanche. Demain en huit, le dimanche 23, nous organisons le Grand Handicap des Sermons. C'est Steggles qui inscrit les paris. Chaque pasteur sera chronométré par un arbitre de course sûr, et celui qui prêchera le plus longtemps gagnera. Est-ce que tu as lu l'annonce de course que je t'ai envoyée ?

— Je n'y ai rien compris.

— Bougre d'idiot, c'est la liste des handicaps et des cotes provisoires de chaque partant. J'en ai une autre ici, au cas où tu aurais perdu la tienne. Lis-la attentivement. Elle résume bien toute l'affaire. Jeeves, vieille branche, voulez-vous risquer quelques sous ?

— Monsieur ? fit Jeeves, qui venait d'entamer une série de méandres pour m'apporter mon petit déjeuner.

Claude lui expliqua le plan. Jeeves comprit avec une facilité déconcertante de quoi il était question. Mais il se contenta de sourire d'un air paternel.

— Merci, Monsieur, mais je crois que je vais m'abstenir.

— Bertie, tu es des nôtres, n'est-ce pas ? demanda

164

Claude en chipant un petit pain et une tranche de bacon. Tu as bien lu cette annonce ? Alors dis-moi, quelles réflexions cela t'inspire-t-il ?

Il y a une réflexion qui m'était venue à l'esprit dès que j'avais vu la liste.

— Mais c'est un vrai cadeau pour le vieux Heppenstall ! dis-je. Il va arriver dans un fauteuil. Il n'y a pas un seul pasteur dans toute la région qui puisse le battre avec un handicap de huit minutes. Votre copain Steggles est idiot de lui donner un avantage pareil. A l'époque où j'étudiais avec lui, le vieux Heppenstall ne prêchait jamais pendant moins d'une demi-heure, et je me rappelle un sermon sur l'Amour du Prochain qui faisait facilement trois quarts d'heure. Est-ce qu'il a perdu de son punch dernièrement ou quoi ?

— Pas du tout, répliqua Eustache. Dis-lui ce qui s'est passé, Claude.

— Eh bien, commença ce dernier, le premier dimanche après notre arrivée, on est tous allés à l'église de Twing, et le sermon du vieux Heppenstall n'a même pas duré vingt minutes. Voici ce qui est arrivé. Steggles ne l'a pas remarqué, et le pasteur lui-même ne s'est aperçu de rien, mais Eustache et moi avons vu qu'il avait laissé glisser de sa serviette une liasse d'au moins une demi-douzaine de pages en montant en chaire. Il a eu un bref moment d'hésitation en arrivant au passage manquant, mais il a enchaîné en souplesse, et Steggles a quitté l'église persuadé que vingt minutes ou un peu moins constituaient sa distance habituelle. Le dimanche suivant on a entendu Tucker et Starkie, et ils ont dépassé tous les deux les trente-cinq minutes, alors Steggles a établi les handicaps comme tu l'as vu sur l'annonce. Tu ne peux pas refuser, Bertie. L'ennui, vois-tu, c'est que je n'ai pas un radis, et qu'Eustache n'a pas un radis, et que Bingo Little n'a pas un radis, alors il faudrait que tu finances notre petit groupe. Il n'y a pas à hésiter! Ça va tous nous renflouer vite fait. Bon, il faut qu'on y aille maintenant. Réfléchis, et passe-moi un coup de fil un peu plus tard. Et si tu nous laisses tomber, Bertie, que la malédiction d'un cousin — allons, mon vieux Claude, retiens-toi. Bye!

Plus je réfléchissais à ce plan, et plus il me plaisait.

— Qu'en dites-vous, Jeeves? demandai-je.

Jeeves sourit avec bienveillance et dériva vers la porte.

— Jeeves n'a pas un tempérament de joueur, constata Bingo.

— Moi si. Je suis des vôtres. Claude a raison. C'est aussi facile que de ramasser une pièce sur le bord de la route.

— Bravo! dit Bingo. Maintenant l'horizon s'éclaircit. Supposons que je mette dix livres sur Heppenstall, et rafle la mise; ça me rapportera de quoi parier sur Pilule Dorée dans la deuxième à Gatwick dans quinze jours; je ramasse tout, et je mets le paquet sur Rat Musqué dans la première à Lewes; et alors j'aurai un bon petit magot pour le 10 septembre à Alexandra Park, où j'ai un tuyau du tonnerre de Dieu.

Tout cela évoquait plus ou moins la méthode Coué.

— Et là-dessus, poursuivit le jeune Bingo, je serai à même d'aller voir mon oncle et d'affronter le vieux lion dans sa tanière. Il est un peu snob, tu sais, et quand il apprendra que je vais épouser la fille d'un comte...

— Dis donc, mon vieux, ne pus-je m'empêcher de dire, tu ne crois pas que tu vas un peu vite en besogne?

— Oh! pas de problème de ce côté-là. Il est exact

que rien n'est encore vraiment décidé, mais elle m'a quasiment avoué l'autre jour qu'elle avait un sentiment pour moi.

— Quoi ?

— Oui, elle a dit qu'elle aimait les hommes indépendants, virils, qui ont de l'énergie, un bon physique, du caractère, de l'ambition et de l'initiative.

— Laisse-moi, mon gars, dis-je. Laisse-moi avec mon œuf sur le plat.

Dès que je fus levé, je décrochai le téléphone, arrachai Eustache à ses travaux matinaux, et le chargeai de mettre dix livres à la cote du jour sur le poulain de Twing pour chaque membre du groupe ; et après le déjeuner Eustache m'appela pour me dire qu'il avait tout arrangé très avantageusement à 7 contre 1, la cote ayant baissé grâce à une rumeur dans les milieux bien informés, selon laquelle le pasteur était sujet au rhume des foins, et prenait de grands risques en s'aventurant dans le paddock derrière le presbytère tôt le matin. Et c'était une sacrée veine, me dis-je le lendemain, qu'on ait réussi à boucler les paris à temps, car le dimanche matin, le vieux Heppenstall prit le mors aux dents et nous gratifia de trente-six bonnes minutes sur « Certaines superstitions populaires ». J'étais assis à côté de Steggles sur le banc, et je le vis nettement pâlir. C'était un petit type à museau de rat, doté d'un regard fuyant et d'un caractère méfiant. La première chose qu'il fit, lorsque nous fûmes à l'air libre, ce fut d'annoncer d'un air guindé que quiconque voudrait parier sur le pasteur devrait désormais le faire à 15 contre 8, et il ajouta, sur un ton assez désagréable, que s'il ne tenait qu'à lui, une course aussi douteuse serait portée à la connaissance du Jockey Club, mais qu'il supposait qu'on n'y pouvait rien. Cette cote exorbitante refroidit aussitôt l'enthousiasme des parieurs, et on ne vit guère la couleur de l'argent.

Les choses en restèrent là jusqu'au mardi après-midi. J'étais en train de me dégourdir les jambes devant le château après déjeuner, en fumant une cigarette, lorsque Claude et Eustache surgirent à bicyclette, visiblement impatients de m'annoncer une nouvelle importante.

— Bertie, commença Claude d'une voix très inquiète, si on n'agit pas immédiatement et si on ne se remue pas les méninges, on est cuits.

— Quel est le problème ?

— Le problème, c'est le pasteur Hayward, dit sombrement Eustache. Le concurrent des Bas de Bingley.

— On ne l'a jamais considéré comme un favori, ajouta Claude. D'une façon ou d'une autre, il a échappé à notre vigilance. C'est toujours comme ça. Steggles ne l'a pas pris en compte. Aucun de nous ne l'a pris en compte. Mais il se trouve qu'Eustache et moi, on a traversé à vélo les Bas de Bingley ce matin, tout à fait par hasard, et il y avait un mariage à l'église, alors on a pensé tout à coup que ce ne serait pas une mauvaise idée de se tuyauter sur la forme du révérend Hayward, au cas où ce serait un sérieux outsider potentiel.

— Et on a rudement bien fait, dit Eustache. Son homélie, chronométrée par Claude, a duré vingt-six minutes. A un mariage villageois, tu entends ! Qu'est-ce que ce sera quand il donnera toute sa mesure !

— Il n'y a qu'une chose à faire, Bertie, dit Claude. Il faut que tu avances encore quelques fonds, pour que nous puissions nous sauver la mise en pariant sur Hayward.

168

— Mais...

— C'est la seule façon de s'en sortir.

— Mais vous savez, je n'aime pas beaucoup l'idée de perdre tout ce fric qu'on a mis sur Heppenstall.

— Tu as autre chose à proposer ? Tu ne penses tout de même pas que le pasteur puisse remonter un handicap sur un pareil champion, non ?

— J'ai une idée ! m'exclamai-je.

— Qu'est-ce que c'est ?

— Je vois comment on peut avantager notre candidat. Je vais passer le voir cet après-midi et lui demander, comme une faveur personnelle, de lire son sermon sur l'Amour du Prochain dimanche.

Claude et Eustache se regardèrent, comme les types du poème, saisis d'un fol espoir.

— C'est un bon plan, admit Claude.

— Un plan génial, renchérit Eustache. Je ne t'aurais pas cru capable de cela, Bertie.

— Malgré tout, objecta Claude, ce sermon a beau être du meilleur cru, est-ce qu'il suffira à compenser un handicap de quatre minutes ?

— Et comment ! fis-je. Quand je vous ai dit qu'il avait duré trois quarts d'heure, j'étais sans doute au-dessous de la vérité. Si je me souviens bien, c'était plutôt cinquante minutes.

— Alors vas-y, m'encouragea Claude.

J'y allai donc, dans la soirée, et arrangeai tout. Le vieux Heppenstall fut très bien. Il parut heureux et touché que je me fusse rappelé ce sermon après toutes ces années, et m'avoua qu'il avait bien songé, à une ou deux reprises, à le reprendre, mais qu'il lui avait semblé à la réflexion être un peu longuet pour une assemblée de paysans.

— Et à l'époque agitée où nous vivons, mon cher

Wooster, continua-t-il, je crains que la brièveté du prêche ne soit de plus en plus appréciée par le paroissien campagnard lui-même, qu'on eût pourtant pu croire moins affecté que son frère des villes par la fièvre de la vitesse et de l'impatience. J'ai souvent discuté de cela avec mon neveu, le jeune Bates, qui remplace provisoirement mon vieil ami Spettigue à Gandle-la-Colline. Il estime qu'un sermon de nos jours doit être quelque chose de vif, rapide, qui va droit au but et ne dure jamais plus de dix ou douze minutes.

— Long? dis-je. Seigneur! Vous ne pensez pas sérieusement que votre sermon sur l'Amour du Prochain est *long*, n'est-ce pas?

— Il faut cinquante bonnes minutes pour le lire en chaire.

— Est-ce Dieu possible?

— Votre incrédulité, mon cher Wooster, est extrêmement flatteuse — beaucoup plus flatteuse, bien entendu, que je ne le mérite. Néanmoins, les faits sont là. Ne croyez-vous pas que je serais bien avisé d'effectuer certaines coupures, qu'il conviendrait que j'élimine, que j'élague? Je pourrais, par exemple, supprimer le passage assez exhaustif sur la vie de famille des premiers Assyriens?

— Surtout ne touchez pas à un seul mot du texte, ou vous allez tout gâcher, protestai-je avec la plus grande sincérité.

— Je suis très heureux de vous l'entendre dire, et je lirai donc ce sermon dimanche matin, vous pouvez compter dessus.

J'ai toujours soutenu, et je soutiendrai toujours, que parier en cote fixe est une faute, une erreur, et un attrape-nigaud. On ne sait jamais ce qui va se passer. Si chacun s'en tenait à la bonne vieille cote de départ, il y aurait moins de jeunes hommes qui tourneraient mal. J'avais à peine fini mon petit déjeuner, le samedi matin, lorsque Jeeves vint au pied de mon lit pour me dire qu'Eustache désirait me parler au téléphone.

— Sapristi, Jeeves, avez-vous une idée de ce qui se passe ?

Je dois dire que je commençais à ressentir une certaine nervosité.

— Monsieur Eustache ne m'a rien dit, Monsieur.

— Est-ce qu'il avait l'air très inquiet ?

— Paniqué serait le mot juste, Monsieur, à en juger par le son de sa voix.

— Savez-vous ce que je pense, Jeeves ? Il y a quelque chose qui cloche avec le favori.

— Qui est le favori, Monsieur ?

— Le pasteur Heppenstall. Il a une assez grosse cote. Il doit faire un sermon sur l'Amour du Prochain qui lui donnera plusieurs longueurs d'avance. Je me demande s'il ne lui est pas arrivé quelque chose.

— Monsieur pourrait s'en assurer en parlant avec Monsieur Eustache au téléphone. Il est au bout du fil.

— Bon sang, c'est vrai !

J'enfilai un peignoir et m'engouffrai dans l'escalier comme une puissante bourrasque. Dès que j'entendis la voix d'Eustache, je sus que ça allait mal pour nous. Elle était rauque de désespoir.

— Bertie ?

— C'est moi.

— Tu en as mis un temps. Bertie, on est fichus. Le favori a craqué.

— Non !

— Si. Il a toussé dans son étable toute la nuit.

— Quoi !

— Parfaitement. Rhume des foins.

— Oh ! bon Dieu !

— Le docteur est avec lui en ce moment, et il s'en faut de quelques minutes seulement qu'il soit déclaré forfait. Ça signifie que c'est le vicaire qui va prendre le départ à sa place, et il ne vaut rien. On le donne à 100 contre 6, mais personne n'en veut. Qu'est-ce qu'on va faire ?

Je me creusai la cervelle un instant en silence.

— Eustache.

— Oui ?

— A combien peux-tu parier sur Hayward ?

— Seulement quatre contre un maintenant. A mon avis, il y a eu une fuite, Steggles a dû apprendre quelque chose. Sa cote s'est resserrée d'une façon significative tard hier soir.

— Bon, ça devrait suffire. Mets cinq livres de plus sur Hayward pour chacun de nous. Ça compensera nos pertes.

— S'il gagne.

— Comment ça, s'il gagne ? Je croyais que tu le considérais comme un gagnant sûr, Heppenstall mis à part.

— Je commence à me demander, dit Eustache d'une voix morose, si rien n'est jamais sûr en ce monde. Il paraît que le pasteur Tucker a fait un galop d'essai absolument superbe lors d'une réunion de mères de famille hier à Badgwick. Mais enfin, il semble que ce soit notre seule chance. Tchao !

Comme je n'étais pas un des arbitres de course, je pus choisir l'église où j'irais le lendemain matin, et naturellement, je n'hésitai point. Le seul ennui, c'était que les Bas de Bingley se trouvaient à une quinzaine de kilomètres de là, ce qui supposait un départ matinal, mais j'empruntai la bicyclette d'un garçon d'écurie et m'en fus. J'avais dû croire Eustache sur parole au sujet de l'endurance de Hayward, et il se pouvait qu'il se fût montré un peu trop à son avantage lorsque les jumeaux l'avaient entendu prêcher pendant cette messe de mariage. Mais toute appréhension que j'avais pu avoir disparut dès qu'il fut monté en chaire. Eustache avait eu raison. Ce type était un battant. C'était un vieux bonhomme grand et sec, et il prit un excellent départ, parlant sans effort, s'arrêtant pour s'éclaircir la gorge après chaque phrase, et il me fallut moins de cinq minutes pour m'apercevoir que nous tenions là le vainqueur. Son habitude de s'arrêter net de temps à autre pour parcourir l'assemblée du regard nous faisait gagner de précieuses minutes, et dans la dernière ligne droite nous fûmes grandement avantagés par le fait que son lorgnon lui tomba du nez et qu'il dut le remettre à tâtons. A la vingtième minute, il avait à peine atteint son rythme de croisière ; à la vingt-cinquième, il commença à forcer l'allure ; et lorsque enfin il termina dans une belle envolée, le chronomètre affichait trente-cinq minutes et quatorze secondes. Avec l'avance au handicap dont il disposait, l'épreuve ne semblait pas devoir lui échapper, et ce fut avec beaucoup de *bonhomie*[1] et de bienveillance universelle que je sautai sur ce brave vélo et retournai déjeuner au château.

Quand j'arrivai là-bas, Bingo parlait au téléphone.

— Très bien ! Parfait ! Splendide ! s'exclamait-il. Hein ? Oh ! inutile de s'en faire à son sujet. D'accord, je le dirai à Bertie.

Il raccrocha et m'aperçut.

1. En français dans le texte. (*N.d.T.*).

— Oh! salut, Bertie. Je parlais à Eustache. Tout va bien, mon vieux. On vient de recevoir le résultat des Bas de Bingley. Hayward est arrivé dans un fauteuil.

— J'en étais sûr. J'arrive de là-bas.

— Oh! tu y étais? Moi je suis allé à Badgwick. Tucker a très bien couru, mais le handicap était trop important pour lui. Starkie avait un mal de gorge et a fini dans les derniers. Roberts, de Fale-la-Rivière, est troisième. Ce brave vieux Hayward! ajouta Bingo sur un ton affectueux, tandis que nous sortions d'un pas nonchalant sur la terrasse.

— Tous les résultats sont arrivés, alors?

— Tous sauf celui de Gandle-la-Colline. Mais il ne faut pas s'en faire au sujet de Bates. Il n'a jamais eu la moindre chance. A propos, ce pauvre vieux Jeeves a perdu ses dix livres. L'imbécile!

— Jeeves? comment ça?

— Il est venu me voir ce matin, juste après ton départ, et il m'a demandé de mettre dix livres sur Bates de sa part. Je lui ai dit qu'il était idiot, et l'ai adjuré de ne pas jeter ainsi son argent par les fenêtres, mais il n'a rien voulu savoir.

— Je demande pardon à Monsieur. Cette lettre est arrivée juste après le départ de Monsieur ce matin.

Jeeves s'était matérialisé à mon côté comme par enchantement.

— Hein? Quoi? Une lettre?

— Le domestique de M. le pasteur Heppenstall l'a apportée du presbytère, Monsieur. Je n'ai pas pu la remettre tout de suite à Monsieur.

Le jeune Bingo se mit en devoir de parler à Jeeves, sur un ton paternel, du danger qu'il y a à parier sur un concurrent mal coté. Le hurlement que je poussai lui fit mordre sa langue au beau milieu d'une phrase.

174

— Bon sang, qu'est-ce qu'il y a? demanda-t-il, passablement irrité.

— On est foutus! Écoute ça!

Je lui lus la lettre :

Le presbytère, Twing, Glos.

Mon cher Wooster,

Comme vous le savez peut-être déjà, des circonstances indépendantes de ma volonté m'empêcheront de lire le sermon sur l'Amour du Prochain en faveur duquel vous aviez fait une si flatteuse démarche. Toutefois je ne voudrais pas que vous fussiez déçu, c'est pourquoi je vous informe que si vous assistez au service divin de Gandle-la-Colline ce matin, vous pourrez entendre mon sermon lu par le jeune Bates, mon neveu. Je lui ai prêté mon manuscrit, à sa demande expresse, car, entre nous, d'autres éléments sont en jeu. Mon neveu est un des candidats au poste de directeur d'un célèbre collège privé, et ils ne sont plus que deux en lice maintenant.

Hier, tard dans la soirée, James a appris de bonne source que le Président du Conseil d'Établissement se proposait d'assister à son prêche, de façon à pouvoir juger des mérites de son éloquence, ce qui influera considérablement sur la décision du Conseil. J'ai consenti à lui prêter mon sermon sur l'Amour du Prochain, dont, comme vous, il se souvient apparemment très bien. Il n'aurait pas eu le temps de rédiger un sermon suffisamment long pour remplacer la brève homélie que — à tort, selon moi — il avait l'intention de prononcer devant ses ouailles villageoises, et je désirais aider ce garçon.

En espérant que vous conserverez de son prêche un souvenir aussi plaisant que celui que vous me dites avoir gardé du mien, je vous prie de croire à mes sentiments bien cordiaux.

F. Heppenstall.

P.-S. A cause de mon rhume des foins, ma vue est, pour le moment, désagréablement affectée, c'est pourquoi je dicte cette lettre à mon domestique, Brookfield, qui vous la remettra.

Je ne pense pas avoir jamais connu un silence plus lourd que celui qui suivit ma lecture de cette joyeuse épître. Le jeune Bingo avala une ou deux fois sa salive, et presque toutes les émotions connues se succédèrent sur son visage. Jeeves fit entendre une petite toux très douce, comme un mouton qui a un brin d'herbe en travers du gosier, puis il resta là à contempler sereinement le paysage. Enfin le jeune Bingo parla.

— Grands dieux! murmura-t-il d'une voix qui s'enrouait. Vous avez joué en cote de départ?

— Je crois que c'est en effet le terme technique, Monsieur, répondit Jeeves.

— Ainsi vous aviez un tuyau, cré nom d'un chien! dit Bingo.

— Mais oui, Monsieur. Il se trouve que Brookfield a fait allusion au contenu de la lettre quand il l'a apportée. Nous sommes de vieux amis.

Le visage de Bingo reflétait le chagrin, l'angoisse, la fureur, le désespoir et la rancune.

— Eh bien, tout ce que je peux dire, s'écria-t-il, c'est que c'est un peu fort! Lire le sermon d'un autre! Vous appelez ça un procédé honnête? Vous appelez ça jouer le jeu?

— Allons, mon vieux, dis-je, ne sois pas injuste. C'est tout à fait dans les règles. C'est une pratique courante chez les ecclésiastiques. On ne peut pas leur demander de toujours écrire les sermons qu'ils lisent en chaire.

Jeeves toussa encore, et fixa sur moi un regard sans expression.

— Et dans le cas présent, Monsieur, si je peux me permettre cette observation, il me semble que nous devons faire preuve d'indulgence. N'oublions pas que l'obtention de ce poste de directeur représentait énormément de choses pour le jeune couple.

— Jeune couple ? Quel jeune couple ?

— Le révérend James Bates, Monsieur, et Lady Cynthia. La femme de chambre de Mademoiselle m'a confié qu'ils sont fiancés depuis quelques semaines, à titre provisoire, en quelque sorte. M. le Comte a fait dépendre son consentement définitif de l'obtention par M. Bates d'un poste réellement important et rémunérateur.

Le jeune Bingo était devenu vert clair.

— Fiancés ?

— Oui, Monsieur.

— Je crois que je vais aller faire un tour, bégaya Bingo.

— Mais, mon vieux Bingo, dis-je, c'est l'heure du déjeuner. Le gong va retentir d'une minute à l'autre.

— Je n'ai pas envie de manger ! soupira Bingo.

14

LA NOBLESSE DU SPORT

Après cela, la vie à Twing reprit son paisible train-train pendant quelque temps. Twing est un de ces endroits où il n'y a pas énormément de choses à faire, ni de fiévreux divertissements à espérer. A vrai dire, à ma connaissance, le seul événement de quelque importance en perspective était la fête annuelle de l'école du village. Faute de mieux on tuait le temps en flânant dans le parc, en jouant un peu au tennis, et en évitant le jeune Bingo, dans la mesure où c'était humainement possible.

Ce dernier point était essentiel si vous teniez à préserver l'harmonie de votre existence, car l'affaire Cynthia avait tellement affecté le malheureux nigaud qu'il vous attrapait sans cesse par la boutonnière pour pouvoir épancher son âme meurtrie. Et lorsque, un matin, il entra dans ma chambre en coup de vent, alors que je picorais une ou deux tartines, je décidai de faire illico preuve de fermeté. Je pouvais supporter son déluge de lamentations après le dîner, et même après le déjeuner ; mais au petit déjeuner, non. Nous autres Wooster sommes l'affabilité même, mais il y a une limite.

— Écoute, mon vieux, dis-je. Je sais que ton foutu

cœur est brisé et tout, et je serai ravi d'entendre tout ça plus tard, mais...

— Je ne suis pas venu pour parler de ça.

— Non ? Tant mieux !

— Le passé, dit le jeune Bingo, est mort. Plus un mot à ce sujet.

— D'accord !

— J'ai été blessé jusqu'au plus profond de l'âme, mais ne m'en parle surtout pas.

— Compte sur moi.

— N'y pense plus. Oublie tout.

— Absolument !

Il y avait des jours que je ne l'avais pas vu si fichtrement raisonnable.

— Je suis venu te voir ce matin, Bertie, dit-il en sortant de sa poche une feuille de papier, pour te demander si ça te dirait de tenter à nouveau un peu ta chance.

S'il y a une chose dont nous autres Wooster avons à revendre, c'est bien le goût du risque. J'avalais le reste de ma saucisse, me redressai sur mon lit et ouvris toutes grandes mes oreilles.

— Continue, dis-je. Tu m'intéresses étrangement, vieux.

Bingo posa la feuille sur le lit.

— Lundi en huit, dit-il, comme tu le sais peut-être, aura lieu la fête annuelle de l'école du village. Lord Wickhammersley prête le parc du château pour l'occasion. Il y aura des jeux divers, dont un jeu de massacre, et un magicien, et du thé servi sous une tente. Et aussi des concours.

— Je sais, Cynthia m'en a parlé.

Le jeune Bingo grimaça.

— Ça ne te ferait rien de ne pas mentionner ce nom ? Je ne suis pas de bronze.

— Pardon !

— Bon, comme je disais, ces réjouissances doivent avoir lieu lundi en huit. La question qui se pose est : En serons-nous ?

— Comment ça, en serons-nous ?

— Je parle des courses. Steggles a si bien réussi avec le Handicap des Sermons qu'il a décidé de remettre ça avec ces courses. On peut parier en cote fixe ou en cote de départ, comme on préfère. Je crois qu'on devrait étudier la question.

J'actionnai la sonnette.

— Je vais consulter Jeeves. Je ne joue plus jamais sans lui demander son avis. Jeeves, dis-je comme il approchait à sa manière féline, nous avons besoin de vous.

— Monsieur ?

— Vous allez nous donner votre avis.

— Très bien, Monsieur.

— Vas-y, Bingo, explique-lui.

Bingo lui expliqua.

— Qu'en dites-vous, Jeeves ? demandai-je. Devons-nous en être ?

Jeeves réfléchit un moment.

— Je serais enclin à approuver cette idée, Monsieur.

Ça me suffisait.

— Bien, dis-je. Dans ce cas, nous allons former un groupe d'associés et faire sauter la banque. Je fournis l'argent, vous fournissez la matière grise, et Bingo... qu'est-ce que tu fournis, Bingo ?

— Si tu m'avances ma part et me laisses rembourser plus tard, dit le jeune Bingo, je crois que je peux te faire gagner un paquet dans la course en sac des Mères.

180

— Parfait. Disons que tu fournis les tuyaux. Maintenant, voyons quelles sont les épreuves.

Bingo prit sa feuille de papier et la consulta.

— C'est le cinquante mètres féminin réservé aux moins de quatorze ans qui ouvre apparemment les hostilités.

— Est-ce que cela vous inspire, Jeeves ?

— Non, Monsieur. Je n'ai aucune information là-dessus.

— Ensuite ?

— La course de pommes de terre animalière mixte, tous âges confondus.

Ça, c'était nouveau. Je n'en avais entendu parler à aucune des grandes réunions hippiques.

— Qu'est-ce que c'est que ça ?

— C'est assez chouette, dit Bingo. Les concurrents entrent par deux, chaque couple se voyant assigner un cri d'animal et une pomme de terre. Supposons par exemple que toi et Jeeves fassiez équipe. Jeeves se tiendrait à un point donné en tenant à la main une pomme de terre. Toi, tu aurais la tête couverte d'un sac, et tu essaierais de trouver Jeeves à tâtons en miaulant comme un chat, Jeeves répondant par des miaulements. Les autres concurrents imiteraient des vaches et des cochons et des chiens, et ainsi de suite, et chercheraient à tâtons *leurs* porteurs de patate, qui imiteraient également des vaches et des cochons et des chiens et ainsi de suite...

J'arrêtai le pauvre bougre.

— Ça va bien si on aime les animaux, dis-je, mais tout compte fait...

— En effet, Monsieur, dit Jeeves. Je m'abstiendrais.

— Trop ouvert, hein?

— Exactement, Monsieur. Trop difficile à pronostiquer.

— Continue, Bingo. Qu'est-ce qu'il y a après ça?

— La course en sac des Mères.

— Ah! Voilà qui est mieux! Là au moins on sait où on met les pieds.

— Un vrai cadeau pour Mme Penworthy, la femme du buraliste, déclara Bingo avec assurance. Hier, j'ai acheté des cigarettes chez elle, et elle m'a confié qu'elle avait participé à des kermesses dans le Worcestershire et gagné à trois reprises. Il n'y a pas longtemps qu'elle est venue habiter par ici, de sorte que personne n'est au courant de ses talents. Elle m'a promis de rester discrète, et je crois qu'on peut espérer une cote avantageuse.

— On pourrait risquer dix livres placé, Jeeves, non?

— Il me semble, Monsieur.

— « Course open pour les filles : cuillers et œufs », lut Bingo.

— Qu'en pensez-vous?

— Je doute que cela vaille la peine d'y investir quoi que ce soit, Monsieur, dit Jeeves. Il paraît que la gagnante de l'année dernière, Sarah Mills, est la grande favorite et remportera sûrement l'épreuve.

— Elle est si bonne que ça?

— On prétend au village qu'on ne l'a jamais vue marcher sur des œufs, Monsieur.

— Il y a aussi la course d'obstacles, dit Bingo. Trop risqué, à mon avis. Comme de parier au Grand National. « Concours de décoration de chapeaux pour les Pères » — encore une épreuve bien aléatoire. Il ne reste que la course de handicap de cent mètres pour les petits chanteurs, avec pour enjeu une timbale en étain offerte par le pasteur. La course est ouverte à tous ceux dont la voix n'a pas mué avant le deuxième dimanche après l'Épiphanie. Willie Chambers a gagné l'année dernière haut la main avec un avantage de quinze mètres. Cette fois, il aura probablement un handicap trop important pour pouvoir gagner. Je ne sais pas quoi conseiller.

— Si je peux faire une suggestion, Monsieur...

Je regardai Jeeves avec intérêt. Je ne me rappelais pas l'avoir jamais vu si proche de l'excitation.

— Vous avez un tuyau?

— Oui, Monsieur.

— Solide?

— C'est le mot qui convient, Monsieur. Je pense pouvoir affirmer sans risque d'erreur que le futur gagnant du handicap des petits chanteurs se trouve sous ce même toit, Monsieur. C'est Harold, le petit valet de M. le Comte.

— Le petit valet? Vous voulez parler de ce mouflet rondouillard en uniforme à boutons qu'on aperçoit de temps en temps? Sapristi, Jeeves, personne n'a un plus grand respect que moi pour votre discernement en matière de courses, mais je veux être pendu si je peux imaginer une seconde Harold franchissant premier la ligne d'arrivée. Il est quasiment sphérique, et chaque fois que je l'ai vu il était appuyé contre quelque chose et à moitié endormi.

— Il aura un avantage de trente mètres, Monsieur, et pourrait gagner en partant scratch. Ce garçon court comme un lièvre.

— Comment le savez-vous?

Jeeves toussa et son regard prit une expression rêveuse.

— J'ai été aussi étonné que Monsieur la première fois que j'ai pris conscience des aptitudes de ce garçon. Il se trouve que je l'ai pourchassé un matin dans le but de lui donner une bonne taloche...

— Grands dieux, Jeeves! Vous?

— Oui, Monsieur. Ce garçon a son franc-parler, et il avait fait une remarque outrageante au sujet de mon apparence personnelle.

— Qu'est-ce qu'il en a dit?

— J'ai oublié, Monsieur, dit Jeeves avec une pointe de raideur. Mais c'était outrageant. Je me suis efforcé de le corriger, mais il m'a distancé de plusieurs mètres et a réussi à s'échapper.

— Mais dites donc, Jeeves, c'est formidable. Pourtant — si c'est un tel champion, pourquoi donc personne au village ne s'en est-il aperçu? Il joue sûrement avec les autres garçons?

— Non, Monsieur. En tant que valet de M. le Comte, il ne fraye pas avec les garçons du village.

— Un peu snob, hein?

— Il a un sens assez vif des distinctions de classes, Monsieur.

— Vous êtes absolument certain que c'est une telle merveille? demanda Bingo. Je veux dire, ce ne serait pas prudent de tenter le coup si vous n'êtes pas sûr de votre affaire.

— Si vous désirez vous rendre compte par vous-même, Monsieur, il sera facile d'arranger en secret un sprint d'essai.

— J'avoue que je me sentirais plus tranquille, dis-je.

— Alors, si Monsieur me permet de prendre un shilling sur sa coiffeuse...

— Pour quoi faire?

184

— Je suggère de soudoyer le garçon pour qu'il parle d'une manière désobligeante du strabisme du second valet de pied, Monsieur. Charles est quelque peu susceptible sur ce point et lui fera certainement donner toute sa mesure. Si vous vous tenez à la fenêtre du couloir du premier étage, celle qui surplombe la porte de derrière, dans une demi-heure…

Je ne pense pas m'être jamais habillé avec une telle hâte. Je suis d'ordinaire plutôt du genre tortue en matière d'habillage ; j'aime prendre tout mon temps pour ajuster ma cravate et vérifier que mon pantalon tombe bien. Mais, ce matin-là, j'étais trop excité. J'enfilai mes frusques n'importe comment et rejoignis Bingo à la fenêtre avec un quart d'heure d'avance.

Cette fenêtre donnait sur une assez grande cour pavée, qui se terminait à une vingtaine de mètres par un haut mur percé d'une porche. On apercevait au-delà de ce porche un bout de l'allée qui s'incurvait sur une trentaine de mètres supplémentaires avant de disparaître derrière d'épais fourrés. Je me demandais ce que je ferais à la place du garnement, avec un valet de pied à mes trousses. Il n'y avait qu'une chose à faire — cavaler jusqu'aux fourrés pour s'y réfugier ; ce qui signifiait une distance à couvrir d'au moins cinquante mètres — un excellent test. Si ce brave Harold était capable d'échapper assez longtemps au second valet de pied pour pouvoir atteindre ces buissons, il n'y avait pas dans tout le pays un seul petit choriste capable de le battre sur cent mètres avec un handicap. J'attendis, fiévreux, pendant ce qui me parut être des heures, et puis tout à coup il y eut un bruit confus en bas, et quelque chose de rond, bleu et plein de boutons jaillit de la porte de derrière et fila en direction du porche comme un mustang. Et le valet de pied apparut environ deux secondes plus tard, galopant de toutes ses forces.

Mais c'était sans espoir. Absolument sans espoir. Le poursuivant ne menaça à aucun moment son adversaire. Bien avant que le valet de pied eût atteint la mi-parcours, Harold avait gagné les buissons, d'où il lançait des pierres. Je m'éloignai de la fenêtre, frissonnant d'excitation ; et lorsque je rencontrai Jeeves dans l'escalier, j'étais si ému que je faillis lui prendre la main.

— Jeeves, dis-je, c'est décidé ! La dernière chemise des Wooster ira sur ce garçon !

— Très bien, Monsieur, répondit Jeeves.

L'ennui avec ces réunions de village, c'est que vous ne pouvez pas parier aussi gros que vous le voudriez quand vous avez un bon tuyau, parce que ça éveille les soupçons des bookmakers. Steggles, malgré son acné, n'était, comme je l'ai laissé entendre, pas idiot, et si j'avais mis tout ce que j'aurais souhaité dans l'affaire, il aurait vite compris. Je réussis cependant à placer un pari substantiel pour le groupe ; mais cela parut le rendre songeur. J'appris dans les jours qui suivirent qu'il avait mené une enquête approfondie dans le village au sujet de Harold ; mais personne ne put rien lui dire, et je suppose qu'il finit par en conclure que je tentais le coup en me fiant à cet avantage de trente mètres. Le choix du public oscillait entre Jimmy Goode, avantage dix mètres, à 7 contre 2, et Alexandre Bartlett, six mètres, à 11 contre 4. On donnait Willie Chambers, scratch, à 2 contre 1, mais il ne trouvait pas preneur.

Nous ne voulions prendre aucun risque dans l'épreuve principale, et dès que notre argent fut placé à une chouette petite cote de 100 contre 12, nous entreprîmes d'entraîner sérieusement Harold. C'était un travail éprouvant, et maintenant je comprends pourquoi la plupart des grands entraîneurs sont des hommes sévères et taciturnes, qui ont l'air d'avoir beaucoup souffert. Il fallait surveiller constamment le gamin. Ça ne servait à rien de lui parler d'honneur ou de gloire ou de la fierté de sa mère quand il lui écrirait qu'il avait décroché une vraie timbale : dès que le chenapan s'aperçut que s'entraîner signifiait faire une croix sur les gâteaux et les cigarettes et beaucoup transpirer, il se braqua, et ce ne fut qu'en exerçant une vigilance de tous les instants que nous parvînmes à le maintenir à peu près en forme. La pierre d'achoppement, c'était le régime. Côté exercice, nous pouvions généralement arranger un bon petit sprint chaque matin avec le concours du second valet de pied. Ça faisait des dépenses, bien sûr, mais on n'y pouvait rien. Cela dit, quand un gosse n'a qu'à attendre que le maître d'hôtel ait le dos tourné pour s'en fourrer jusque-là à l'office, ou pour se glisser dans le fumoir et empocher une poignée des meilleures cigarettes turques, son entraînement devient une entreprise hasardeuse. Nous ne pouvions qu'espérer que ses ressources naturelles le tireraient d'affaire le jour venu.

Et puis, un soir, le jeune Bingo revint du terrain de golf avec une nouvelle inquiétante. Il avait pris l'habitude d'emmener Harold avec lui comme caddie chaque après-midi pour lui faire prendre un peu d'exercice.

Il sembla d'abord trouver cela amusant, le pauvre nigaud ! Il débordait de gaieté en commençant son histoire.

— Dis donc, je me suis bien marré, cet après-midi. Si tu avais vu la tête de Steggles!

— La tête de Steggles? Pourquoi?

— Quand il a vu le jeune Harold courir, je veux dire.

J'eus le sinistre pressentiment d'un affreux malheur.

— Nom d'un chien! Tu n'as pas laissé Harold courir sous les yeux de Steggles?

La mâchoire du jeune Bingo s'affaissa.

— Je n'avais pas pensé à ça, dit-il sombrement. Ce n'était pas ma faute. J'avais fait une partie avec Steggles, et ensuite on est allés boire un verre dans le pavillon en laissant Harold avec les clubs dehors. Au bout de cinq minutes, on est ressortis, et on a vu le môme qui s'exerçait sur le gravier à faire des swings avec un des clubs de Steggles et des cailloux. Quand il nous a aperçus, il a lâché le club et en un éclair il a été hors de vue. Steggles était absolument éberlué. Et je dois dire que ç'a été une révélation pour moi; aucun doute, le gamin donnait le meilleur de lui-même. Bien sûr, d'un côté, c'est ennuyeux. Mais après tout, ajouta Bingo en paraissant reprendre courage, je ne vois pas ce que ça change. Nos paris sont inscrits à une cote avantageuse. On ne perdra rien si la forme du gosse vient à être connue. Je suppose qu'il sera le favori, mais ça ne nous touche pas.

Je regardai Jeeves. Jeeves me regarda.

— Ça nous touche bel et bien s'il ne prend pas le départ.

— Absolument, Monsieur.

— Hein? Comment ça? fit Bingo.

— Si tu veux savoir, dis-je, je pense que Steggles va essayer de l'éliminer de la course avant le départ.

— Bon sang! Je n'avais pas pensé à ça, s'exclama Bingo en pâlissant. Crois-tu qu'il irait jusque-là?

— Je pense qu'il ne va pas se gêner pour essayer. Steggles est un gredin. A partir de maintenant, Jeeves, nous devons veiller sur Harold comme des faucons sur leur couvée.

— Certainement, Monsieur.

— Avec la plus grande vigilance, n'est-ce pas?

— Absolument, Monsieur.

— Vous iriez jusqu'à dormir dans sa chambre, Jeeves?

— Oui, Monsieur.

— Moi aussi, s'il le fallait. Mais sapristi, continuai-je, nous sommes en train de nous laisser impressionner! Nous perdons notre sang-froid. Ça ne va pas. Comment Steggles pourrait-il nuire à Harold, à supposer qu'il le veuille?

Mais le moral du jeune Bingo était toujours au plus bas. Il est de ces types qui adoptent aussitôt le point de vue le plus morbide, si on leur en fournit la moindre occasion.

— Il y a bien des façons de liquider un favori, dit-il d'une voix funèbre. Vous devriez lire quelques-uns de ces romans hippiques. Dans *Coiffé au poteau*, il s'en faut d'un cheveu que Lord Jasper Maulevereras élimine Bonny Betsy en soudoyant le lad pour qu'il glisse un cobra dans son écurie la veille du Derby!

— Quelle est la probabilité pour qu'un cobra morde Harold, Jeeves?

— Faible, j'imagine, Monsieur. Et si cela se produisait, connaissant ce garçon comme je le connais, c'est uniquement pour le serpent que je me ferais du souci.

— Cependant, restons vigilants, Jeeves.

— Très certainement, Monsieur.

Je dois dire que le jeune Bingo me tapa un peu sur le

système dans les jours qui suivirent. Il est normal qu'un type qui a un champion dans son écurie en prenne soin, mais à mon avis Bingo exagérait. La cervelle du pauvre bougre était apparemment saturée de romans hippiques ; et dans ce genre d'histoires, si je comprenais bien, aucun cheval ne prend jamais le départ d'une course sans avoir fait l'objet d'une bonne douzaine de tentatives d'élimination. Il suivait Harold comme son ombre, ne laissant jamais le malheureux gosse échapper à son champ de vision. Bien sûr, cette course était importante pour mon pauvre copain, car s'il gagnait il aurait assez d'argent pour quitter son boulot de précepteur et rentrer à Londres ; mais tout de même, il aurait pu s'abstenir de me réveiller à trois heures deux nuits de suite — la première fois pour me dire que nous devrions préparer nous-mêmes les repas de Harold pour empêcher qu'on ne le drogue, la seconde pour m'annoncer qu'il avait entendu des bruits mystérieux dans le parc. Mais il dépassa les bornes, à mon avis, quand il insista pour que j'assiste au service du soir le dimanche, c'est-à-dire la veille de la course.

— Mais pourquoi donc ? demandai-je, n'ayant jamais été très chaud pour assister aux vêpres.

— Eh bien, je ne peux pas y aller moi-même. Je ne serai pas là. Je dois me rendre à Londres aujourd'hui avec le jeune Egbert. (C'était le fils de Lord Wickhammersley, celui dont Bingo avait la charge.) Il va faire une visite dans le Kent, et il faut que je le mette dans le train à Charing Cross. C'est bigrement ennuyeux. Je ne serai pas de retour avant lundi après-midi. Je suppose que je vais rater la plupart des épreuves. Par conséquent, tout repose sur tes épaules, Bertie.

190

— Mais pourquoi faut-il que l'un de nous aille au service du soir?

— Nigaud! Harold chante dans le chœur, non?

— Et alors? Je ne peux pas l'empêcher de se démettre le gosier en poussant sa note, si c'est ce que tu crains.

— Imbécile! Steggles fait aussi partie du chœur. Il pourrait bien se passer des choses pas claires après le service.

— Foutaises!

— Vraiment? Eh bien, sache que dans *Jenny, la femme jockey*, le méchant kidnappe le garçon qui doit monter le favori, la veille de la grande course, et c'est le seul qui comprenne et qui puisse maîtriser le cheval, et si l'héroïne ne s'habillait pas en jockey pour...

— Oh! d'accord, d'accord. Mais s'il y a un quelconque danger, il me semble que la meilleure solution serait que Harold n'aille pas là-bas dimanche soir.

— Mais il faut qu'il y aille! Tu as l'air de penser que ce satané garnement est un monument de rectitude, aimé de chacun. Il a la plus mauvaise réputation de tous les garçons du village. Son nom offense les oreilles les plus aguerries. Il a été si souvent absent du chœur que le pasteur l'a menacé d'expulsion si cela se reproduisait une seule fois. On aurait vraiment l'air d'andouilles s'il était rayé de la liste des partants la veille de la course!

Bon, évidemment, dans ce cas, il n'y avait rien d'autre à faire que de trotter à l'église le moment venu.

Il y a quelque chose, dans le service vespéral d'une église de village, qui vous plonge dans une sereine torpeur — ce genre de sensation qu'on a au soir d'une belle journée. Le vieux Heppenstall était en chaire ; il possède cette sorte d'élocution régulière et ânonnante qui apaise l'esprit. La porte avait été laissée ouverte, et l'air était empli de l'odeur mêlée des arbres, du chèvrefeuille, du moisi et des vêtements du dimanche des villageois. Aussi loin que l'œil portât, on voyait des paysans assis dans des attitudes somnolentes, respirant lourdement ; et les enfants, qui s'étaient montrés assez remuants au début de la cérémonie, avaient pris des poses qui évoquaient une sorte de coma repu. Les derniers rayons du soleil couchant illuminaient les vitraux, les oiseaux gazouillaient dans les arbres, les robes des femmes bruissaient doucement dans le silence. En paix. Voilà où je voulais en venir. Je me sentais en paix. Chacun se sentait en paix. Et c'est pourquoi l'explosion, quand elle vint, fit l'effet d'une Apocalypse.

J'appelle cela une explosion, parce que telle est bien l'impression que ce bruit suggéra. Un moment plus tôt régnait un silence rêveur, à peine troublé par le vieux Heppenstall parlant de nos devoirs envers notre prochain ; et puis tout à coup — une espèce de hurlement aigu, perçant, atteignit chacun entre les deux yeux, descendit le long de la moelle épinière et ressortit par la plante des pieds.

— Ii-ii-ii-ii-ii ! Oo-ii ! Ii-ii-ii-ii !

On aurait dit qu'on tordait simultanément la queue de six cents cochons, mais ce n'était en réalité que le gars Harold, qui semblait piquer on ne savait quelle crise. Il sautait en l'air et se donnait des claques entre les épaules. Toutes les deux ou trois secondes il prenait une bonne inspiration et poussait un autre hurlement.

Il va de soi qu'on ne peut guère agir de la sorte au

beau milieu d'un sermon pendant l'office du soir sans éveiller quelque curiosité. Les ouailles sortirent de leur transe en sursautant, puis grimpèrent sur les bancs pour mieux voir. Le vieux Heppenstall s'interrompit au milieu d'une phrase et pivota sur ses talons. Deux bedeaux, avec une grande présence d'esprit, remontèrent l'allée centrale en bondissant comme des léopards, s'emparèrent de Harold qui hurlait toujours, et l'entraînèrent vers la sacristie, où ils disparurent. Je saisis mon chapeau et me dirigeai, en contournant l'église, vers l'entrée des artistes, plein d'appréhension et tout. J'ignorais ce que diable tout cela pouvait bien signifier, mais je pressentais vaguement que dans l'ombre de cet incident se profilait la main de cette canaille de Steggles.

Le temps que j'arrive jusqu'à cette porte et que je réussisse à la faire ouvrir, car elle était verrouillée, le service avait apparemment pris fin. Le vieux Heppenstall se tenait au milieu d'une foule de petits chanteurs, de bedeaux, de sacristains et tutti quanti, et passait à Harold un vigoureux savon. J'assistais à la fin de ce qui avait dû être une tirade assez corsée.

— Misérable! Comment avez-vous osé…

— J'ai une peau sensible!

— C'est bien le moment de parler de votre peau…

— Quelqu'un m'a glissé un cafard dans le cou!

— Absurde!

— Je l'ai senti gigoter…

— Balivernes!

— Voilà qui est peu convaincant, non? murmura quelqu'un à mon oreille.

C'était ce démon de Steggles. Vêtu tout de blanc, d'un surplis, ou d'une soutane, ou de je ne sais quoi du même genre, et avec sur le visage une expression d'intérêt soucieux, le sacripant eut le front de me regarder froidement et cyniquement dans les yeux sans ciller.

— C'est toi qui lui as mis un cafard dans le cou ? m'écriai-je.

— Moi ? fit Steggles. Moi !

Le vieux Heppenstall laissa tomber le couperet.

— Je ne crois pas un mot de votre histoire, misérable ! Je vous ai déjà prévenu, et le moment est venu d'agir. Vous cessez à cet instant même de faire partie du chœur. Allez, malheureux enfant !

Steggles me tira par la manche.

— Dans ce cas, dit-il, à propos de ces paris, tu sais — je crains que tu ne perdes ton argent, mon vieux Bertie. Dommage que tu n'aies pas joué en cote de départ. J'ai toujours pensé que la cote de départ était la plus sûre.

Je lui lançai un regard peu amène. En pure perte, bien sûr.

— Et on parle de la Noblesse du Sport ! dis-je.

Je mis dans cette remarque toute la causticité dont j'étais capable.

Jeeves reçut la nouvelle avec courage, mais je pense qu'au fond il était assez secoué.

— Un jeune monsieur très ingénieux, ce M. Steggles, Monsieur.

— Un satané escroc, vous voulez dire.

— Peut-être serait-ce en effet une description plus adéquate. Mais ces choses arrivent sur les champs de courses, et il ne sert à rien de se plaindre.

— J'aimerais avoir votre heureuse nature, Jeeves !

Jeeves s'inclina.

— Il semble que nous devions désormais compter presque exclusivement sur Mme Penworthy, Monsieur. Si elle justifiait les louanges de M. Little et se montrait à la hauteur dans la course en sac des Mères, nos gains compenseraient tout juste nos pertes.

— Oui, mais c'est un piètre réconfort quand on a espéré gagner le gros lot.

— Il n'est pas impossible que nous puissions malgré tout réaliser un modeste bénéfice, Monsieur. Avant que M. Little ne parte, je l'ai persuadé d'investir une petite somme, pour le groupe d'associés dans lequel Monsieur a eu la bonté de m'admettre, dans la course à la cuiller pour les filles.

— Sur Sarah Mills ?

— Non, Monsieur. Sur un outsider à faible cote. La petite Prudence Baxter, Monsieur, la fille du chef jardinier de M. le Comte. Son père m'assure qu'elle a la main très sûre. Elle est habituée à lui apporter depuis leur chaumière sa chope de bière chaque après-midi, et selon lui elle n'en a jamais renversé une seule goutte.

Bon, cela semblait indiquer que la jeune Prudence avait une bonne maîtrise de soi. Mais qu'en était-il de la vitesse ? Avec des concurrentes aussi expérimentées que Sarah Mills, on a presque affaire à une course classique, et dans ces grandes épreuves c'est la vitesse qui compte.

— Je reconnais que c'est un choix assez risqué, Monsieur. Cependant j'ai pensé que ce serait judicieux.

— Vous l'avez aussi jouée placée, bien entendu ?

— Oui, Monsieur.

— Eh bien, je suppose que ça ira. Je ne vous ai encore jamais vu faire de bourdes.

— Merci beaucoup, Monsieur.

Je dois dire qu'en règle générale, ma conception d'un excellent après-midi serait de me tenir aussi éloigné que possible d'une fête d'école de village. C'est plutôt pénible. Mais vu les circonstances, avec de si graves questions en suspens, si vous voyez ce que je veux dire, j'étouffai mes préjugés et m'y pointai. Je trouvai la chose à peu près aussi lamentable que je m'y étais attendu. Il faisait chaud, et le parc du château n'était qu'une masse dense et presque liquide de paysans. Des myriades d'enfants couraient dans tous les sens. L'un d'eux, une petite fille, saisit ma main et s'y accrocha tandis que je me frayais un chemin à travers la foule vers la ligne d'arrivée de la course en sac des Mères. Nous n'avions pas été présentés, mais elle pensait apparemment que je ferais aussi bien l'affaire que n'importe qui pour parler de la poupée de chiffon qu'elle avait gagnée au jeu de la pêche miraculeuse, un sujet sur lequel elle ne répugnait pas à s'étendre.

— Je vais l'appeler Gertrude, babillait-elle. Et je la déshabillerai tous les soirs et la mettrai au lit, et je la réveillerai le matin et l'habillerai, et je la mettrai au lit le soir et la réveillerai le lendemain matin et l'habillerai...

— Dis donc, ma vieille, l'interrompis-je, je ne voudrais pas te bousculer ni rien, mais tu ne pourrais pas condenser un peu cette histoire ? Je suis assez impatient de voir l'arrivée de la course. La fortune des Wooster en dépend, pour ainsi dire.

— Je vais bientôt courir dans une course, annonça-t-elle en renonçant provisoirement à son grand sujet pour condescendre à un bavardage plus ordinaire.

— Ah oui? fis-je — distrait, vous comprenez, et tâchant d'apercevoir quelque chose à travers la foule. Quelle course?

— Cuillers et œufs.

— Sans blague? Tu es Sarah Mills?

— Na-oon! fit-elle avec mépris. Je suis Prudence Baxter.

Ceci, naturellement, modifia la nature de nos relations. Je la considérai avec énormément d'intérêt. Une de nos pouliches. Je dois dire qu'elle n'avait pas vraiment l'air d'une sprinteuse. Elle était petite et boulotte. Pas la grande forme, à mon avis.

— Dis donc, observai-je, dans ce cas, tu ne devrais pas trotter ainsi par cette chaleur et te fatiguer. Il faut économiser tes forces, ma vieille. Assieds-toi là à l'ombre.

— Veux pas m'asseoir.

— Eh bien, en tout cas, reste tranquille.

La môme changea de sujet de conversation, comme un papillon qui volette de fleur en fleur.

— Moi, je suis très sage, déclara-t-elle.

— J'en suis sûr. J'espère aussi que tu te défends à la course à la cuiller.

— Harold n'est pas sage. Il a crié dans l'église et il n'a pas le droit de venir à la fête. Je suis bien contente, continua cette digne représentante de son sexe en fronçant vertueusement le nez, parce qu'il est méchant. Il m'a tiré les cheveux vendredi. Harold ne vient pas à la fête! Harold ne vient pas à la fête! Harold ne vient pas à la fête! se mit-elle à scander sur un air de comptine.

— Inutile de me le rappeler, chère petite fille du jardinier, implorai-je. Tu touches sans le savoir à un sujet plutôt douloureux.

— Ah! Wooster, cher ami! Je vois que vous avez lié connaissance avec cette jeune demoiselle?

C'était le vieux Heppenstall, qui rayonnait littéralement. L'âme de la fête.

— Je suis ravi, mon cher Wooster, poursuivit-il, vraiment ravi de voir l'enthousiasme avec lequel vous autres jeunes gens participez à notre petite kermesse.

— Ah oui? fis-je.

— Oh! oui! Même Rupert Steggles. Je dois avouer que Rupert Steggles a très sensiblement remonté dans mon estime cet après-midi.

Je n'aurais pas pu en dire autant, mais je me tus.

— Entre nous, j'ai toujours considéré Rupert Steggles comme un garçon assez égocentrique, et peu susceptible d'accomplir le moindre effort pour contribuer au bien-être de ses semblables. Et pourtant, par deux fois pendant la dernière demi-heure, je l'ai observé qui accompagnait Mme Penworthy, la digne épouse de notre buraliste, vers la tente aux rafraîchissements.

Je lui tournai le dos en secouant ma main pour faire lâcher prise à la môme Baxter, et je filai comme un lièvre vers l'endroit où la course en sac des Mères était sur le point de se terminer. J'avais l'affreux pressentiment qu'il y avait encore de l'entourloupe dans l'air. La première personne sur laquelle je tombai fut Bingo. Je le saisis par le bras.

— Qui a gagné?

— Je ne sais pas, je n'ai pas regardé, dit-il d'une voix pleine d'amertume. Ce n'est pas Mme Penworthy en tout cas, que le diable l'emporte! Bertie, cette canaille de Steggles n'est ni plus ni moins qu'une vipère. J'ignore comment il a pu apprendre quelque chose, mais il se doutait sûrement qu'elle était dange-

reuse. Tu sais ce qu'il a fait ? Il a attiré cette malheureuse sous la tente aux rafraîchissements cinq
minutes avant la course, et il l'a tellement gavée de
gâteaux et de thé qu'elle a calé dans les trente premiers mètres. Elle a roulé par terre et n'a plus bougé !
Enfin, Dieu merci, il nous reste Harold...

Je regardai le pauvre ballot, bouche bée.

— Harold ? Tu ne sais pas ?

— Quoi ? s'écria Bingo, dont le teint prit une jolie
couleur verte. Qu'est-ce que je ne sais pas ? Je ne sais
rien. Il y a à peine cinq minutes que je suis là. J'arrive
tout droit de la gare. Qu'est-ce qui s'est passé ?
Raconte.

Je lui fournis toutes les explications. Ses yeux restèrent fixés sur moi quelques instants avec une expression d'horreur, puis il émit un gémissement caver-
neux, s'éloigna en titubant et se perdit dans la foule.
Sale coup pour lui, pauvre bougre. Je ne pouvais lui
reprocher d'être un peu sonné.

On dégageait la piste pour la course à la cuiller, et je
me dis que je ferais aussi bien de rester là où j'étais
pour assister à l'arrivée. Non que j'eusse grand espoir.
La jeune Prudence avait certes de la conversation,
mais elle ne me semblait pas avoir l'étoffe d'une
gagnante.

Pour autant que je pusse m'en rendre compte avec
toute cette foule, les petites filles avaient pris un bon
départ. C'était une jeune rouquine qui menait la
course, suivie d'une blonde à taches de rousseur, et
Sarah Mills, très à son aise, était troisième. Notre
candidate était à la traîne avec les autres concurrentes,
loin derrière les premières. Même à ce stade de la
course, il n'était pas difficile de deviner qui allait
gagner. Il y avait, dans la manière dont Sarah Mills

tenait sa cuiller, une grâce, une précision, un savoir-faire, qui parlaient d'eux-mêmes. Elle avançait à vive allure, mais son œuf n'oscillait même pas. Elle était manifestement née pour ce genre de course.

On a de la classe ou on n'en a pas. A trente mètres du poteau, la rouquine s'emmêla les pinceaux et envoya son œuf valdinguer dans l'herbe. La blonde aux taches de rousseur résista vaillamment, mais elle avait trop forcé dans la première moitié du parcours; Sarah Mills la dépassa et arriva la bride haute avec plusieurs longueurs d'avance, très acclamée. La blonde était deuxième. Une gosse renifleuse en vichy bleu devança une petite à face de lune pour la troisième place, et Prudence Baxter, le « choix assez risqué » de Jeeves, était cinq ou sixième, je n'avais pas bien vu.

Et puis je fus entraîné par la foule vers l'endroit où le vieux Heppenstall allait remettre les prix. Je me retrouvai côte à côte avec le gars Steggles.

— Salut, vieux! dit-il, sur le ton le plus enjoué. Pas de chance aujourd'hui, hein?

Je toisai le coquin avec mépris, en pure perte, bien sûr.

— D'ailleurs, ça n'a marché pour aucun des gros parieurs, continua-t-il. Ce pauvre vieux Bingo Little s'est salement ramassé dans cette course à la cuiller.

Je n'avais pas eu l'intention de lui adresser la parole, mais j'étais soudain très inquiet.

— Comment ça? demandai-je. Nous... il n'avait pas parié bien gros.

— Ça dépend de ce que tu appelles « pas gros ». Il a joué placé trente livres sur la môme Baxter.

Le paysage se mit à tanguer devant moi.

— Quoi!

— Trente livres à 10 contre 1. Je croyais qu'il avait un tuyau, mais apparemment ce n'était pas le cas. La course s'est déroulée exactement selon les prévisions.

J'essayais de faire des additions dans ma tête. J'étais plongé dans mes calculs pour évaluer les pertes de notre groupe, lorsque la voix du vieux Heppenstall me parvint, un peu affaiblie par la distance. Son expression, tandis qu'il distribuait tous les prix des autres épreuves, avait été plutôt paternelle et débonnaire, mais voilà qu'il paraissait maintenant peiné et chagriné. Il considérait la foule d'un air empreint de tristesse.

— Pour ce qui est de la course à la cuiller des filles, qui vient de se terminer, disait-il, j'ai un pénible devoir à accomplir. Des faits sur lesquels il m'est impossible de fermer les yeux se sont produits. Il n'est pas exagéré de dire que je suis abasourdi.

Il accorda à la foule environ cinq secondes pour qu'elle ait le temps de se demander pourquoi il était abasourdi, puis continua :

— Il y a trois ans, comme vous le savez, j'ai été contraint de rayer du programme de notre fête annuelle le quatre cents mètres pour les Pères, en raison de certains bruits m'informant de paris échangés sur les résultats à l'auberge du village, et d'une forte présomption qu'en une occasion au moins le concurrent le plus rapide avait triché par appât du gain. J'avoue que ce déplorable incident avait ébranlé ma foi en la nature humaine — cependant j'étais persuadé qu'une épreuve au moins resterait pure de toute souillure de professionnalisme. Je veux parler de la course à la cuiller pour les filles. Il semble, hélas, que je me sois montré trop optimiste.

Il marqua une nouvelle pause, en proie à une dure lutte intérieure.

— Je ne veux pas vous accabler de détails fastidieux. Je dirai simplement qu'avant le départ de la course, un étranger parmi nous, le serviteur d'un de nos hôtes au château, je ne dirai pas précisément lequel, a abordé plusieurs concurrentes et leur a offert à chacune cinq shillings à condition qu'elles — hem — finissent dans les premières. Un remords tardif l'a conduit à me confesser sa faute, mais il est trop tard. Le mal est fait, et la justice doit suivre son cours. Ce n'est pas le moment de tergiverser mais de se montrer ferme. Je déclare que Sarah Mills, Jane Parker, Bessie Clay et Rosie Jukes, les quatre premières à avoir franchi la ligne d'arrivée, ont perdu leur statut d'amateur et se sont disqualifiées, et qu'en conséquence ce joli sac à ouvrage, offert par Lord Wickhammersley, va à Prudence Baxter. Prudence, viens recevoir ton prix !

15

LA MANIÈRE CITADINE

Personne ne sait mieux que moi que le jeune Bingo est, à maints égards, un brave garçon. Depuis nos années d'école, à intervalles réguliers, et d'une façon ou d'une autre, il a ajouté du piment à mon existence. Quand il s'agit de passer un joyeux moment, je crois que je le préfère à tout autre compagnon. D'un autre côté, il faut bien avouer qu'il y a en lui des choses qui pourraient être améliorées. L'une d'elles est son habitude de tomber amoureux de la moitié des filles qu'il rencontre ; une autre encore, sa façon de mettre l'univers entier au courant des secrets de son cœur. Si vous appréciez par-dessus tout la réserve et la pudeur, fuyez Bingo, parce qu'il est aussi dénué de ces qualités qu'une réclame pour savonnette.

Je veux dire — tenez, voici le télégramme que je reçus un soir de novembre, environ deux mois après ma dernière visite au château de Twing :

> Dis donc mon vieux Bertie je suis amoureux enfin. C'est la fille la plus merveilleuse mon vieux Bertie. Cette fois c'est la bonne enfin Bertie. Viens ici tout de suite et amène Jeeves avec toi. Oh dis donc tu connais ce bureau de tabac de Bond Street à gauche en remontant la rue.

Peux-tu m'apporter une centaine de leurs cigarettes spéciales. Je n'en ai plus. Je sais que quand
tu la verras tu penseras que c'est la fille la plus
merveilleuse. N'oublie pas d'amener Jeeves.
Pense aux cigarettes. — Bingo.

Ce télégramme avait été expédié de la poste de
Twing. Cela signifiait que ces effrayantes inepties
avaient été offertes en pâture à l'œil avide d'une
postière de village qui alimentait probablement en
commérages toute la région, et qui prendrait soin de
carillonner la nouvelle aux quatre vents avant la tom-
bée de la nuit. Cet idiot n'aurait pu se trahir plus
complètement s'il avait loué les services d'un crieur
public. Quand j'étais gosse, je lisais des histoires qui
parlaient de chevaliers et de Vikings, et aussi de ces
drôles de zèbres qui ne rougissaient pas de se lever en
plein milieu d'un grand banquet pour brailler une
chanson détaillant l'excellente opinion qu'ils avaient
de leur petite amie. J'ai souvent pensé pour ma part
que cette époque aurait parfaitement convenu au
jeune Bingo.

Jeeves m'avait apporté la chose avec mon whisky
vespéral, et je la lui tendis pour qu'il la lise.

— Ça devait arriver, bien sûr, dis-je. Il y avait au
moins deux mois que le jeune Bingo n'était pas tombé
amoureux. Je me demande qui ça peut être cette fois ?

— Mlle Mary Burgess, Monsieur, la nièce du révérend Heppenstall. Elle séjourne en ce moment au
presbytère de Twing.

— Saperlipopette !

Je n'ignorais pas que Jeeves savait à peu près tout,
mais ceci tenait du don de double vue.

— Comment savez-vous ça ?

— Lorsque nous étions au château de Twing cet

été, Monsieur, je me suis lié d'amitié avec le serviteur de M. le pasteur Heppenstall. Il a la bonté de me tenir informé des nouvelles locales de temps à autre. Selon lui, Monsieur, cette jeune demoiselle est une demoiselle très estimable. D'un caractère très sérieux, à ce que j'ai cru comprendre. M. Little est très *épris*, Monsieur. Brookfield, mon correspondant, m'écrit que la semaine dernière il l'a observé, à une heure avancée de la nuit, qui rêvait au clair de lune, les yeux levés vers sa fenêtre.

— Quelle fenêtre ? Celle de Brookfield ?

— Oui, Monsieur. Croyant probablement que c'était celle de la demoiselle.

— Mais que diable peut-il bien faire à Twing ?

— M. Little s'est vu contraint de reprendre son ancien poste de précepteur auprès du fils de Lord Wickhammersley au château de Twing, Monsieur. A la suite de certaines spéculations malheureuses à l'hippodrome de Hurst Park à la fin du mois d'octobre.

— Bon sang, Jeeves ! Y a-t-il une seule chose que vous ignoreriez ?

— Je ne saurais dire, Monsieur.

Je repris le télégramme.

— Je suppose qu'il veut qu'on aille lui donner un coup de main ?

— Il semblerait que ce soit en effet le motif pour lequel il a envoyé ce message, Monsieur.

— Eh bien, qu'allons-nous faire ? Aller là-bas ?

— C'est ce que je préconiserais, Monsieur. Si je puis me permettre, je pense que M. Little devrait être encouragé en la circonstance.

— Vous croyez qu'il a tiré le bon numéro cette fois ?

— Je n'entends dire que le plus grand bien de la

jeune demoiselle, Monsieur. Je pense qu'il ne fait aucun doute qu'elle aurait une excellente influence sur M. Little, si cette affaire devait connaître une heureuse conclusion. Une telle union contribuerait aussi grandement, j'imagine, à rétablir M. Little dans les bonnes grâces de son oncle, la jeune fille en question étant de bonne famille et possédant une fortune personnelle. Bref, Monsieur, je pense que s'il y a quelque chose que nous pouvons faire, nous devrions le faire.

— Eh bien, avec vous pour l'épauler, dis-je, je ne vois pas comment il pourrait rater son coup.

— Monsieur est trop aimable. Je remercie Monsieur de ses bonnes paroles.

Bingo vint nous attendre à la gare le lendemain, et insista pour que j'envoie Jeeves devant avec la voiture et les bagages, tandis que lui et moi ferions le trajet à pied. A peine eûmes-nous commencé à trotter qu'il se mit à parler de la fille en question.

— Elle est vraiment merveilleuse, Bertie. Ce n'est pas une de ces filles modernes, frivoles et superficielles. Elle est pleine d'aimable gravité et d'admirable sincérité. Elle me rappelle... comment déjà?

— Marie Lloyd[1]?

— Sainte Cécile, répliqua le jeune Bingo en me jetant un regard peu amène. Elle me rappelle sainte Cécile. Elle me fait désirer être meilleur, plus noble, plus profond, plus généreux.

— Ce que je ne pige pas, dis-je en suivant le fil de ma pensée, c'est sur quels critères tu te bases pour les choisir. Les filles dont tu tombes amoureux, je veux dire. Enfin, quelle est ta méthode? Pour autant que je sache, il n'y en a pas deux de pareilles. D'abord il y a eu Mabel la serveuse, puis Honoria Glossop, puis cette calamité de Charlotte Corday Rowbotham...

1. Actrice de music-hall. *(N.d.T.)*

Je reconnais que Bingo eut la décence de frissonner. La pensée de Charlotte me faisait toujours frissonner, moi aussi.

— Tu ne vas tout de même pas me dire, Bertie, que tu entends comparer le sentiment que j'éprouve pour Mary Burgess, le profond dévouement, la pure...

— Oh! d'accord, admettons. Dis donc, vieux, est-ce qu'on n'est pas en train de rallonger le trajet, des fois?

Étant donné que nous étions censés nous diriger vers le château de Twing, il me semblait que nous marchions sensiblement plus que nécessaire. Le château est à environ trois kilomètres de la gare par la grand-route, mais nous avions pris un chemin de traverse, l'avions suivi quelque temps, avions escaladé une ou deux barrières, et maintenant nous traversions un champ qui aboutissait à un autre sentier.

— Elle emmène quelquefois son petit frère en promenade par ici, expliqua Bingo. Je me suis dit qu'on pourrait la rencontrer et la saluer à distance. Tu aurais ainsi l'occasion de la voir, tu sais, et puis on continuerait notre chemin.

— Bien sûr, dis-je, c'est là un plaisir qui suffirait à n'importe qui, et assurément une fameuse récompense pour avoir fait un détour de cinq kilomètres dans des champs labourés avec des chaussures de ville, mais nous contenterons-nous de ça? Pourquoi ne pas aborder cette fille et l'accompagner un moment?

— Seigneur! s'exclama le jeune Bingo, sincèrement étonné. Tu ne t'imagines quand même pas que j'oserais faire une chose pareille? Je me contente de la regarder de loin et ce genre de truc. Vite, la voilà! Non, je me trompe.

On se serait cru dans la chanson de Harry Lauder, quand il attend la fille et dit : « C'est e-e-elle qui vient. Non, c'est un la-a-apin ! » Le jeune Bingo me fit poireauter là, sous la morsure d'un fort vent de nord-est, pendant dix minutes, me tenant en haleine avec une série de fausses alertes, et je m'apprêtais à suggérer que nous renoncions au reste du programme, lorsqu'un fox-terrier surgit au tournant du chemin, et Bingo frémit comme une feuille. Puis un petit garçon s'avança à son tour, et mon copain trembla comme de la gélatine. Enfin, telle une danseuse étoile dont l'entrée en scène a été préparée par tout le corps de ballet, une fille apparut, et alors l'émoi soulevé fut pénible à voir. La face de Bingo devint si rouge qu'avec son col blanc et son nez bleu de froid, il ressemblait plus à un drapeau français qu'à autre chose. La partie supérieure de son corps s'affaissa, comme si on l'avait brusquement désossé.

Il levait une main sans force vers sa casquette, lorsqu'il s'aperçut tout à coup que la fille n'était pas seule. Un individu en habit de vicaire faisait partie des personnes présentes, et sa vue ne parut pas réjouir Bingo le moins du monde. Sa figure devint plus rouge et son nez plus bleu, et ce ne fut qu'au moment de les croiser qu'il parvint à saisir sa casquette.

La fille s'inclina, le vicaire dit « Ah ! Little — mauvais temps, hein ? », le chien aboya, puis continua son chemin, et la fête fut finie.

Le vicaire représentait pour moi un élément nouveau dans cette affaire. Je signalai son existence à Jeeves en arrivant au château. Naturellement, Jeeves était déjà au courant.

— C'est le révérend Wingham, le nouveau vicaire

de M. le pasteur Heppenstall, Monsieur. Brookfield m'a laissé à entendre qu'il est le rival de M. Little, et il semble que ce soit à lui que la demoiselle donne la préférence pour le moment. M. Wingham possède un avantage, celui de vivre dans la même demeure. Lui et la demoiselle jouent des duos après le dîner, et cela crée un lien entre eux. On me dit qu'en ces occasions M. Little rôde non loin de là, en rongeant visiblement son frein.

— Bon sang, c'est tout ce que le pauvre diable semble capable de faire. Il ronge son frein, et ça s'arrête là. Il a perdu son punch. Il n'a plus la pêche. Tenez, quand nous avons rencontré cette fille tout à l'heure, il n'a même pas eu le simple courage viril de lui dire « Bonsoir » !

— Je crois savoir que l'affection de M. Little n'est pas exempte de crainte respectueuse, Monsieur.

— Mais comment pouvons-nous aider un homme qui se montre aussi pusillanime ? Avez-vous quelque chose à suggérer ? Je le verrai après le dîner, et sans nul doute, la première chose qu'il me demandera, c'est ce que vous conseillez.

— A mon avis, Monsieur, le plus judicieux pour M. Little serait de concentrer ses efforts sur le jeune gentleman.

— Le petit frère ? Comment ça ?

— Il pourrait s'en faire un ami, Monsieur — l'emmener en promenade et ainsi de suite.

— Ça ne me semble pas être une de vos idées les plus brillantes. J'avoue que j'attendais de vous quelque chose de plus consistant.

— Ce serait un début, Monsieur, et cela pourrait ouvrir certaines perspectives.

— Bon, je le lui dirai. Cette fille m'a favorablement impressionné, Jeeves.

— Une jeune demoiselle tout à fait digne d'estime, Monsieur.

Ce soir-là, je refilai à Bingo le tuyau glané au paddock, et fus heureux de constater que cela semblait le ragaillardir.

— Jeeves a toujours raison, dit-il. J'aurais dû y penser moi-même. Je vais m'y mettre dès demain.

Étonnante, la façon dont le gars reprit du poil de la bête. Bien avant mon retour à Londres, c'était devenu pour lui quasiment une habitude de parler à cette fille. Du moins ne se contentait-il plus d'avoir l'air d'un héron empaillé chaque fois qu'ils se rencontraient. Le frère formait un lien entre eux qui était autrement plus fort que les duos du vicaire. Bingo et elle emmenaient régulièrement ensemble le gosse en promenade. Je demandai à Bingo de quoi ils parlaient alors, et il me répondit qu'ils discutaient de l'avenir de Wilfred. La fille espérait que Wilfred serait vicaire un jour, mais Bingo n'était pas d'accord, il y avait quelque chose chez les vicaires qui ne lui plaisait pas beaucoup.

Le jour de notre départ, Bingo vint nous accompagner à la gare, avec Wilfred qui batifolait à ses côtés comme un vieux camarade d'école. L'image que j'emportai d'eux fut celle de Bingo mettant une pièce dans un distributeur automatique pour lui offrir des chocolats. Une scène de paix et de souriante bonne volonté. Tout cela, pensai-je, était diablement prometteur.

Le choc fut d'autant plus rude, environ quinze jours plus tard, lorsque le télégramme suivant arriva :

Bertie mon vieux dis donc Bertie pourrais-tu venir ici tout de suite. Tout va de travers sacré nom d'un chien. Bon sang Bertie il faut que tu viennes. Je suis complètement désespéré et j'ai le cœur brisé. Peux-tu m'apporter encore une centaine de ces cigarettes. Amène Jeeves quand tu viendras Bertie. Il faut venir Bertie. Je compte sur toi. N'oublie pas d'amener Jeeves. Bingo.

Pour un gars qui est perpétuellement fauché, je dois dire que le jeune Bingo est l'utilisateur de télégrammes le plus prolixe que j'aie jamais vu. Il ne sait pas ce que condenser veut dire. L'imbécile épanche son âme meurtrie à deux shillings le mot, ou quel que soit le tarif, de la façon la plus irréfléchie qui soit.

— Qu'en dites-vous, Jeeves ? Je commence à en avoir un peu assez. Je ne peux annuler tous mes rendez-vous une semaine sur deux rien que pour aller donner un coup de main au jeune Bingo. Télégraphiez-lui d'en finir une bonne fois en se jetant dans la mare du village.

— Si Monsieur pouvait se dispenser de mes services jusqu'à demain, je serais heureux de faire un saut là-bas pour voir ce qui se passe.

— Oh ! zut ! Enfin, je suppose que c'est la seule solution. Après tout, c'est vous qu'il veut voir. D'accord, allez-y.

Jeeves revint le lendemain soir.

— Eh bien ? fis-je.

Il paraissait préoccupé. Son sourcil gauche se releva un instant, d'une manière qui trahissait l'inquiétude.

— J'ai fait ce que j'ai pu, Monsieur, dit-il, mais je crains que les chances de M. Little ne soient pas très élevées. Depuis notre dernière visite, Monsieur, l'affaire a pris une tournure extrêmement funeste et alarmante.

— Oh ! de quoi s'agit-il ?

— Monsieur se rappelle peut-être M. Steggles — le

jeune gentleman qui préparait un examen avec M. le pasteur Heppenstall au presbytère ?

— Qu'est-ce que Steggles a à voir là-dedans ?

— Brookfield, ayant surpris sans le vouloir les bribes d'une conversation, m'a donné à entendre que M. Steggles s'intéressait à l'affaire, Monsieur.

— Sapristi ! Quoi, il prend des paris ?

— Je crois comprendre qu'il accepte en effet des paris dans son entourage immédiat, Monsieur. Contre M. Little, dont il ne semble pas surestimer les chances.

— Cela ne me dit rien qui vaille, Jeeves.

— Non, Monsieur. C'est réellement inquiétant.

— Connaissant Steggles comme je le connais, il y aura sûrement des micmacs.

— Il y en a déjà eu, Monsieur.

— Déjà ?

— Oui, Monsieur. Il semble que M. Little, se conformant à la ligne de conduite qu'il a bien voulu me permettre de lui suggérer, ait accompagné le jeune M. Burgess à une vente paroissiale, et y ait rencontré M. Steggles, qui était lui-même en compagnie du jeune M. Heppenstall, le deuxième fils du révérend Heppenstall, qui a dû quitter son école de Rugby, où il avait attrapé les oreillons, pour terminer sa convalescence à la maison. Cette rencontre eut lieu au buffet, où M. Steggles avait convié le jeune M. Heppenstall. Pour résumer, Monsieur, ces deux messieurs furent très intéressés de voir l'énergie avec laquelle les garçons se restauraient, et M. Steggles paria une livre que son protégé l'emporterait sur le jeune M. Burgess dans un concours du plus gros mangeur. M. Little m'a avoué qu'il avait quelque peu hésité en songeant à ce qui se passerait si la chose parvenait jusqu'aux oreilles de Mlle Burgess ; mais son goût du jeu fut le plus fort, et il accepta le pari. Le concours se déroula donc comme convenu, avec l'enthousiaste coopération des deux garçons, et finalement le jeune M. Burgess justifia la confiance de M. Little en gagnant, mais seulement après une lutte au couteau. Le lendemain les deux adversaires furent très malades ; des questions furent posées, des confessions extorquées, et M. Little — comme me l'a confié Brookfield, qui se trouvait par hasard près de la porte du salon à ce moment-là — eut une entrevue extrêmement désagréable avec la demoiselle, au terme de laquelle elle le pria de ne plus jamais lui adresser la parole.

Il n'y a pas à dire — si un gars doit être surveillé en permanence, c'est bien Steggles. Machiavel en aurait appris tous les jours avec lui.

— C'est un coup monté, Jeeves ! m'exclamai-je. Steggles a tout manigancé. Il recommence ses manœuvres d'élimination.

— Cela ne semble faire aucun doute, Monsieur.

— Eh bien, on dirait qu'il a réussi à envoyer ce pauvre vieux Bingo au tapis.

— C'est l'opinion la plus répandue, Monsieur. Brookfield me dit qu'au village, à l'*Auberge du Cheval Blanc*, on donne M. Little à 7 contre 1, mais que personne n'en veut.

— Bon sang ! Ils parient aussi là-dessus dans le village ?

— Oui, Monsieur. Et également dans les hameaux voisins. Cette affaire a eu un certain retentissement. On m'a dit que les échos s'en faisaient sentir jusque dans un lieu aussi reculé que les Bas de Bingley.

— Eh bien, je ne vois pas ce qu'on peut faire. Si Bingo est un tel âne...

— Je crains que cette bataille ne soit perdue d'avance, Monsieur, mais je me suis risqué à suggérer à M. Little une ligne d'action qui pourrait s'avérer profitable. Je lui ai recommandé de s'occuper de bonnes œuvres.

— De bonnes œuvres ?

— Dans le village, Monsieur. Faire la lecture aux invalides — tenir compagnie aux malades — ce genre de choses, Monsieur. Espérons que cela donnera des résultats.

— Oui, espérons, dis-je sans grande conviction. Mais nom d'une pipe, si j'étais malade, je n'aimerais vraiment pas qu'un dingo comme Bingo vienne jacasser à mon chevet.

— Je reconnais qu'il *y a* cet aspect de la question, Monsieur.

Je n'eus aucune nouvelle de Bingo pendant deux semaines, et je finis par supposer qu'il avait trouvé la tâche trop rude et jeté l'éponge. Un soir, peu avant Noël, je rentrai chez moi assez tard, car j'étais allé danser aux *Ambassadeurs*. Je me sentais plutôt fourbu, ayant commencé à me démener sur la piste peu après le dîner et continué presque sans interruption jusqu'à deux heures du matin, par conséquent un sommeil réparateur me paraissait tout indiqué. Jugez de mon dépit et autres contrariétés, lorsque, titubant de fatigue, j'entrai dans ma chambre, allumai et vis, étalé sur mon oreiller, l'affreux faciès du jeune Bingo. Le sacripant avait surgi de nulle part et dormait dans mon lit comme un nourrisson, une sorte de sourire heureux et rêveur aux lèvres.

Un peu fort de café, non ? Nous autres Wooster n'avons rien contre la bonne vieille hospitalité médiévale, au contraire, mais quand vous surprenez des types dans votre propre lit, vous commencez à la trouver un rien saumâtre. Mon pied se détendit, et Bingo se redressa en gargouillant :

— 's'passe? 's'passe?

— Que diable fais-tu dans mon lit?

— Oh! salut, Bertie! Alors te voilà!

— Oui, me voilà. Qu'est-ce que tu fais dans mon lit?

— Je suis venu en ville hier soir pour affaires.

— Oui, mais qu'est-ce que tu fais dans mon lit?

— Nom d'un chien, Bertie, s'exclama le jeune Bingo avec humeur, arrête un peu ton disque! Il y a un autre lit dans la chambre d'amis. J'ai vu de mes propres yeux Jeeves le préparer. Je crois que c'était pour moi, mais je sais quel hôte exquis tu fais, alors je me suis pieuté ici. Dis donc, mon vieux Bertie — ajouta Bingo, qui en avait visiblement assez de discuter de lits —, l'horizon s'éclaircit.

— Quoi de plus normal? On approche de trois heures du matin.

— C'était une façon de parler, idiot. Je voulais dire que l'espoir commençait à poindre. Au sujet de Mary Burgess, tu sais. Assieds-toi, je vais te raconter.

— Pas question. Je vais me coucher.

— Tout d'abord, commença le jeune Bingo en se calant confortablement contre mes oreillers et en se servant dans mon coffret à cigarettes, je dois encore une fois rendre hommage à ce bon vieux Jeeves. Un moderne Salomon. J'étais vraiment dans la panade quand je lui ai demandé conseil, mais il m'a refilé un tuyau qui me permet — je pèse mes mots et je n'exagère pas — de jouer sur le velours. Il t'a peut-être dit qu'il m'avait recommandé de regagner le terrain

215

perdu en m'occupant de bonnes œuvres ? Bertie, mon vieux — continua le jeune Bingo avec conviction —, j'ai réconforté tellement de malades ces deux dernières semaines que si j'avais un frère et si tu me l'amenais sur un lit de souffrance à cette minute, sapristi, mon vieux, je lui écraserais une brique sur la figure. Cependant, même si j'en ai rudement bavé, le plan a magnifiquement réussi. Elle s'est visiblement radoucie avant la fin de ma première semaine d'efforts — recommençant à me saluer d'un petit signe de tête quand on se rencontrait dans la rue et ainsi de suite. Il y a environ deux jours, elle a distinctement souri — c'était un de ces timides sourires de sainte, tu sais — quand je l'ai croisée à la porte du presbytère. Et hier... dis donc, tu te rappelles ce vicaire, Wingham ? Un type avec un grand nez.

— Bien sûr que je m'en souviens. Ton rival.

— Rival ? répéta Bingo en levant les sourcils. Oh ! oui, je suppose qu'on aurait pu l'appeler ainsi à une certaine époque. Bien que ça paraisse quelque peu excessif.

— Vraiment ? dis-je, ulcéré par l'écœurante suffisance du pauvre corniaud. Eh bien, permets-moi de te dire qu'aux dernières nouvelles, au *Cheval Blanc*, dans le village de Twing, et dans toute la région, jusqu'aux Bas de Bingley, on te donne à 7 contre 1, mais que personne n'en veut.

Bingo sursauta violemment et répandit de la cendre de cigarette sur toute la surface de mon lit.

— Des paris ! s'étrangla-t-il. Des paris ! Tu veux dire qu'on parie sur la plus sainte, la plus sacrée... Oh ! bon Dieu ! Les gens n'ont-ils donc pas la moindre décence, le moindre respect... ? Rien n'échappe donc à leur bestiale et sordide cupidité ? Je me demande —

216

ajouta le jeune Bingo d'un air songeur — si j'aurais une chance de voir la couleur de cet argent. 7 contre 1! Quelle cote! Est-ce que tu sais qui prend les paris? Mais je suppose que ça ne marcherait pas. Non, je pense que ce n'est pas la chose à faire.

— Tu as l'air drôlement sûr de toi, dis-je. Je croyais pourtant que ce Wingham...

— Oh! je ne me tracasse pas à son sujet. J'allais justement te le dire. Wingham a attrapé les oreillons et ne quittera pas sa chambre avant plusieurs semaines. C'est déjà pas mal, mais ce n'est pas tout. Tu vois, il était en train de préparer le spectacle de Noël de l'école du village, et c'est moi qui le remplace. Je suis allé voir le vieux Heppenstall hier soir et l'affaire a été conclue. Bon, tu devines ce que ça signifie. Ça signifie que pendant trois bonnes semaines je vais être le centre absolu de toute l'activité du village, avec un formidable triomphe à la clef. Respecté et adulé de tous, tu vois le topo. Ça ne manquera pas d'impressionner fortement Mary. Ça lui montrera que je suis capable d'un effort sérieux; qu'il y a en moi un fond d'authentique valeur; que, si inconstant qu'elle ait pu me croire, je suis en vérité...

— Oh! d'accord! Admettons!

— Ce n'est pas rien, tu sais, ce spectacle de Noël. Le vieux Heppenstall lui accorde énormément d'importance. Les gros bonnets de toute la région seront présents, y compris le châtelain avec toute sa famille. Une occasion en or pour moi, mon vieux, et je compte bien en tirer le meilleur parti possible. Bien sûr, je suis un peu handicapé, parce que j'ai pris le train en marche. Croirais-tu que cette pauvre gourde de vicaire voulait donner au public je ne sais quel minable petit conte de fées, tiré d'un livre pour enfants publié il y a environ cinquante ans, sans une seule réplique drôle ni l'ombre d'un gag? Il est trop tard pour tout changer, mais je peux toujours y ajouter une note de gaieté. Je vais leur écrire quelque chose d'enlevé pour animer la soirée.

— Tu en es parfaitement incapable.

— Bon, quand je dis écrire, je veux dire copier. C'est pour ça que je suis venu en ville. Je suis allé voir cette revue, « Câlin Câline », au Paladium. Pas mal du tout. Bien sûr, c'est plutôt dur d'obtenir quelque chose qui ressemble à un effet de scène dans la salle des fêtes de Twing, avec un décor presque inexistant et une bande de gosses quasiment demeurés âgés de neuf à quatorze ans, mais je crois que je peux y arriver. Est-ce que tu as vu « Câlin Câline »?

— Oui. Deux fois.

— Il y a de bonnes choses dans le premier acte, et je peux piquer la plupart des numéros. Il y a aussi ce spectacle au Palace; je compte aller à la matinée demain, avant de partir. Je suis sûr qu'il contient des trucs assez chouettes. Ne va pas te ronger les sangs parce que je ne suis pas capable d'écrire une bonne pièce. Laisse-moi faire, mon gars, laisse-moi faire. Et maintenant, mon cher Bertie — conclut le jeune Bingo en se pelotonnant douillettement sous les couvertures —, il ne faut pas me tenir le crachoir toute la nuit. Peu importe pour vous autres qui n'avez rien à faire, mais moi je travaille. Bonne nuit, vieux. Ferme doucement la porte et éteins la lumière en sortant. Petit déjeuner vers dix heures, je suppose, hein? Parfait. Bonne nuit.

Je ne vis pas Bingo pendant les trois semaines qui suivirent. Il devint une sorte de Voix dans les Coulisses, car il prit l'habitude de m'appeler de Twing pour me consulter sur divers points concernant les répétitions, jusqu'au jour où il me tira du lit à huit heures du matin pour me demander si je pensais que « Joyeux Noël ! » était un bon titre. Je lui dis alors de cesser de me casser les pieds, et après cela il la boucla et disparut de ma vie, pour ainsi dire. Mais un après-midi, en rentrant chez moi afin de m'habiller pour le dîner, je trouvai Jeeves en train d'inspecter une espèce d'énorme affiche qui recouvrait complètement un fauteuil.

— Bon sang, Jeeves ! Qu'est-ce que c'est que cette chose ?

Je ne me sentais pas très bien ce jour-là, et ce coup m'ébranlait.

— M. Little me l'a envoyée, et il désirait que j'attire sur elle l'attention de Monsieur.

— Eh bien, on peut dire que vous avez réussi !

J'examinai l'objet. Il ne passait certainement pas inaperçu. Il faisait facilement deux mètres de haut, et la plupart des lettres étaient d'un rouge si vif que je crois bien n'avoir jamais rien vu de tel.

Voici ce qu'on pouvait y lire :

SALLE DES FÊTES DE TWING
Vendredi 23 décembre
RICHARD LITTLE
présente
une Revue Nouvelle et Originale
intitulée
OHÉ, TWING !
Livret de
RICHARD LITTLE
Paroles de
RICHARD LITTLE

Musique de
RICHARD LITTLE
Avec tous les enfants de la
Chorale de Twing
Effets scéniques de
RICHARD LITTLE
Mise en scène de
RICHARD LITTLE

— Qu'en dites-vous, Jeeves? demandai-je.

— J'avoue que je suis un peu perplexe, Monsieur.
Il me semble que M. Little aurait mieux fait de suivre
mon conseil et de s'en tenir aux bonnes œuvres dans le
village.

— Vous croyez que ça va être un fiasco?

— Je ne me risquerais à aucune conjecture, Monsieur. Mais mon expérience m'a appris que ce qui plaît
aux spectateurs londoniens n'est pas toujours aussi
bien accepté par un public provincial. La manière
citadine se révèle parfois un peu trop exotique pour les
gens de la campagne.

— Je suppose que je devrais aller voir ce maudit
spectacle?

— M. Little serait probablement froissé que Monsieur n'y assistât pas.

La salle des fêtes de Twing est un bâtiment assez
petit, qui sent la pomme. Elle était pleine quand j'y
pénétrai le soir du vingt-trois, car je m'étais arrangé
pour arriver peu avant le coup d'envoi. J'avais déjà
assisté à un ou deux de ces petits divertissements, et je
ne voulais pas courir le risque, en venant trop tôt, de
me retrouver coincé sur un siège dans les premiers
rangs, d'où je ne pourrais pas effectuer un repli discret

au cours de la représentation, si les circonstances paraissaient l'exiger. Je me postai près de la porte au fond de la salle — une excellente position stratégique.

De là où je me trouvais, je voyais bien tous les spectateurs. Comme toujours dans ces cas-là, les premiers rangs étaient occupés par les gros bonnets du coin — à savoir le châtelain, un vieux gentilhomme campagnard au teint mauve et aux favoris blancs, sa famille, un peloton de pasteurs locaux et deux douzaines de paroissiens importants. Puis venait la masse dense de ce qu'on pourrait appeler la petite-bourgeoisie. Et au fond, où j'étais, nous descendions d'un gros cran dans l'échelle sociale, cette extrémité de la salle étant presque complètement abandonnée à une bande de vrais durs à cuire, qui s'étaient radinés moins pour l'amour du théâtre que parce qu'il y avait un thé gratuit après le spectacle. Bref, on avait là un échantillon assez représentatif de la population de Twing. Les Gros Bonnets se murmuraient d'un air satisfait des choses à l'oreille, les Petits-Bourgeois étaient assis très droit, comme si on les avait amidonnés, et les Durs à Cuire tuaient le temps en cassant des noix et en échangeant de grasses plaisanteries rustiques. La fille, Mary Burgess, était au piano et jouait une valse. Près d'elle se tenait le vicaire, Wingham, apparemment guéri. La température, je pense, atteignait environ cinquante-trois degrés.

Quelqu'un me donna un vigoureux coup dans les côtes, et je vis qu'il s'agissait du gars Steggles.

— Hello ! fit-il. Je ne savais pas que tu viendrais.

Je n'aimais pas ce zigoto, mais nous autres Wooster sommes capables de faire bonne figure quand il le faut. Je me déridai quelque peu.

— Oh ! oui, dis-je, Bingo tenait à ce que j'assiste à son spectacle.

— Il paraît qu'il va nous donner quelque chose d'assez ambitieux, me confia le gars Steggles. Effets spéciaux et tout.

— Je crois, oui.

— Bien sûr, c'est important pour lui, n'est-ce pas ? Il t'a parlé de cette fille, naturellement ?

— Oui. Et on m'a dit que tu prenais des paris contre lui, à 7 contre 1, dis-je en posant sur le sacripant un regard dénué d'indulgence.

Il ne cilla même pas.

— Rien que des petits paris, pour briser un peu la monotonie de la vie à la campagne. Mais tes renseignements ne sont pas tout à fait exacts. C'est dans le village qu'ils proposent du 7 contre 1. Je peux te donner plus que ça, si tu te sens d'humeur à jouer. Que dirais-tu de dix livres à 100 contre 8 ?

— Bon sang ! Tu en es là ?

— Oui. Je ne sais pourquoi, dit Steggles d'un air méditatif, mais j'ai une sorte d'impression, une espèce de prémonition que quelque chose ira de travers ce soir. Tu connais Little. Un gaffeur comme il n'y en a pas deux. Quelque chose me dit que sa revue va être un four. Et si c'est le cas, je suppose qu'il ne remontera pas beaucoup dans l'estime de cette fille. Sa position n'a jamais été très forte.

— Tu vas essayer de flanquer son spectacle en l'air ? demandai-je d'un air sévère.

— Moi ! fit Steggles. Mais que pourrais-je faire ? Une seconde, il faut que j'aille parler à quelqu'un.

Il tourna les talons, me laissant à mon inquiétude. J'avais bien vu à son expression qu'il mijotait un de ses habituels tours pendards, et je pensais qu'il fallait en avertir Bingo. Mais je n'avais plus le temps d'aller lui parler. Quelques secondes après que Steggles m'eut quitté, le rideau se leva.

Dans la première partie du spectacle, Bingo s'en tint à son rôle de souffleur classique. La chose, au début, était simplement une de ces curieuses petites pièces qu'on trouve dans des bouquins publiés aux alentours de Noël et intitulés « Douze saynètes pour les tout-petits » ou quelque chose comme ça. Les mômes ânonnaient leur texte comme ils le font dans ces cas-là, et la voix tonnante de Bingo éclatait de temps à autre dans les coulisses, quand les cornichons oubliaient leur réplique ; quant au public, il glissait lentement dans cette sorte de torpeur qui vous prend dans ces moments-là. Soudain, nous eûmes droit au premier des numéros ajoutés par Bingo. C'était la chanson que cette fille, comment déjà, chante dans cette revue au Palace — vous reconnaîtriez l'air si je le fredonnais, mais je n'arrive jamais à le retenir. Il était toujours bissé et rebissé au Palace, et il marchait bien là aussi, même avec une môme à la voix criarde qui sautait d'un ton à l'autre, pareille à un chamois alpin bondissant de rocher en rocher. Les Durs à Cuire eux-mêmes l'apprécièrent. A la fin du second refrain la salle tout entière cria « En-core ! », et la môme dont la voix évoquait un crayon à ardoise inspira à fond pour remettre ça.

C'est alors que toutes les lumières s'éteignirent.

Je n'avais jamais rien connu d'aussi brusque et dévastateur. Elles ne vacillèrent pas. Elles s'éteignirent, c'est tout. La salle fut plongée dans la plus complète obscurité.

Bien entendu, cela rompit quelque peu le charme, si on peut dire. Des gens se mirent à brailler des instructions, et les Durs à Cuire tapèrent du pied et s'apprêtèrent à passer un bon moment. Naturellement, il fallut que le jeune Bingo se conduise comme un imbécile ; sa voix surgit tout à coup des ténèbres.

— Mesdames et Messieurs, nous avons un problème avec la lumière...

Les Durs à Cuire accueillirent avec délices ce tuyau venu tout droit du paddock. Ils le reprirent en chœur, comme une sorte de cri de guerre. Puis, au bout de cinq minutes environ, la lumière revint, et le spectacle reprit.

Le public eut besoin d'une dizaine de minutes pour retrouver son état comateux, mais il finit par s'assoupir, et tout marchait comme sur des roulettes, lorsqu'un petit garçon qui ressemblait à un turbot s'avança devant le rideau, qui avait été baissé après une scène assez fastidieuse où il était question d'un anneau magique ou d'une mauvaise fée ou je ne sais quoi, et commença à chanter cette chanson de Georges Trucmuche dans « Câlin Câline ». Vous voyez ce que je veux dire, elle s'appelle « Fillettes, écoutez toujours Maman ! », et le public ne manque pas de reprendre le refrain. C'est une assez chouette goualante, que j'ai moi-même souvent chantée dans mon bain avec pas mal d'entrain ; mais en aucun cas — comme seul un abruti aussi phénoménal que le jeune Bingo pouvait l'ignorer — en aucun cas le genre de chose qui convenait à un Noël d'enfants dans une bonne vieille salle des fêtes de village. Dès le début du premier refrain, la plupart des spectateurs avaient commencé à se raidir sur leur siège et à s'éventer ; la fille Burgess au piano lisait sa partition et jouait d'une façon hébétée et mécanique, tandis que près d'elle le vicaire détournait son regard d'un air peiné. Les Durs à Cuire, en revanche, ne cachaient pas leur joie.

A la fin du deuxième refrain, le gosse s'arrêta et fit

quelques pas en biais vers les coulisses. Sur quoi on put entendre le bref dialogue suivant :

Le jeune Bingo (*Voix forte résonnant contre la charpente*) : « Continue ! »

Le gosse (*faussement timide*) : « Je veux pas. »

Le jeune Bingo (*encore plus fort*) : « Continue, espèce de petit morveux, ou je t'étripe ! »

Je suppose que le môme réfléchit en vitesse et comprit que puisque Bingo avait l'avantage, il valait mieux se le concilier, quoi qu'il advînt par la suite ; car, traînant les pieds, il reprit sa place au centre de la scène, et, après avoir fermé les yeux et gloussé irrépressiblement, dit :

— Mesdames et Messieurs, je désire maintenant prier monsieur le châtelain Tressidder de bien vouloir nous chanter le refrain !

Vous savez, vous avez beau éprouver à l'égard du jeune Bingo les sentiments les plus charitables, il y a des moments où vous ne pouvez vous empêcher de penser qu'il devrait être dans une quelconque institution. Je suppose que dans l'esprit du pauvre bougre, cela devait constituer le clou de la soirée. Il s'était apparemment imaginé que le châtelain se lèverait aussitôt avec jovialité et entonnerait bravement le refrain, dans une apothéose de bonne humeur. Alors qu'il se passa simplement ceci que le vieux Tressidder — et notez que je ne le lui reproche pas — resta assis là où il se trouvait, enflant et devenant à chaque seconde plus cramoisi. La petite-bourgeoisie, quant à elle, restait figée dans son silence, attendant que le ciel lui tombât sur la tête. La seule partie du public qui semblât vraiment acquise à cette idée, c'étaient les Durs à Cuire, qui hurlaient d'enthousiasme. Les Durs à Cuire buvaient du petit lait.

Et puis les lumières s'éteignirent à nouveau.

Quand elles revinrent, quelques minutes plus tard, on put voir le châtelain qui sortait d'un pas raide à la tête de toute sa famille, et qui en avait manifestement sa claque ; la fille Burgess au piano, pâle, le regard fixe ; et le vicaire, qui la considérait avec sur le visage une expression qui semblait suggérer que, bien qu'il trouvât certes tout ceci déplorable, il entrevoyait le bon côté de la chose.

Le spectacle redémarra une nouvelle fois. Il y eut encore de grosses tranches de dialogues style Saynètes-pour-les-tout-petits, puis la pianiste attaqua les premières notes de cette chanson de la Marchande d'Oranges qui est le grand succès de la revue du Palace. Je présumai que ceci allait être le grand finale de l'acte I tel que Bingo l'avait imaginé. La troupe tout entière était sur la scène, et une main avait agrippé le bord du rideau, prête à le tirer le moment venu. Cela semblait bien être en effet le finale. Je me rendis vite compte que c'était quelque chose de plus. C'était la fin.

Vous connaissez sûrement ce numéro des Oranges du Palace ? La chanson dit :

> *Oh ! voulez-vous mes belles mes belles oranges,*
> *Mes belles oranges à moi,*
> *Mes belles oranges à moi ;*
> *Oh ! voulez-vous mes belles mes belles j'oublie*
> *quoi,*
> *Mes belles mes belles mes belles tra la la ;*
> *Oh !...*

ou quelque chose d'approchant. Les paroles sont drôlement bien tournées, et la musique est chouette aussi. Mais ce qui fait le succès du numéro, c'est ce jeu de scène, quand les filles prennent des oranges dans leurs paniers, vous savez, et les lancent légèrement vers le public. Je ne sais pas si vous l'avez remarqué, mais les spectateurs semblent toujours ravis quand on leur jette des choses de la scène. Chaque fois que je suis allé au Palace, ce numéro les rendait tout simplement fous de joie.

Mais au Palace, bien sûr, les oranges sont en coton jaune, et les filles les lancent moins qu'elles ne les laissent mollement tomber sur les premier et deuxième rangs. Je commençai à comprendre que la chose allait être traitée quelque peu différemment ce soir-là quand une sacrée portion de pulpe juteuse et de pépins frôla mon oreille dans sa course et alla s'écraser sur le mur derrière moi. Une autre atterrit avec un bruit mou sur la nuque d'un des Gros Bonnets au quatrième rang. J'en pris une troisième en plein sur le bout du nez, et je perdis plus ou moins intérêt pour les événements en cours pendant un moment.

Quand j'eus nettoyé mon visage et que mes yeux eurent cessé un instant de larmoyer, je vis que le petit divertissement de Noël avait commencé à ressembler à une des soirées irlandaises les plus endiablées. L'air était saturé de cris et de fruits. Les mômes sur la scène, où Bingo courait comme un fou de l'un à l'autre, s'en donnaient à cœur joie. Ils pensaient probablement que cela ne durerait pas toujours, et profitaient au mieux de l'occasion qui leur était offerte. Les Durs à Cuire s'étaient mis à ramasser toutes les oranges à peu près intactes et à les renvoyer vers la scène, si bien que le public se trouvait pris entre deux feux. Bref, on peut dire qu'une certaine confusion régnait ; et l'ambiance commençait à s'échauffer sérieusement, lorsque les lumières s'éteignirent encore une fois.

Il me sembla que le moment était venu de m'éclipser, aussi me glissai-je vers la porte. A peine fus-je sorti que le flot des spectateurs commença à se déverser à l'extérieur. Ils déferlaient par groupes de deux ou trois, et je n'avais jamais entendu de foule plus sacrément unanime sur quelque sujet que ce fût. Tous autant qu'ils étaient, les hommes comme les femmes, maudissaient ce pauvre vieux Bingo ; et il y avait un important courant de pensée, qui s'amplifiait rapidement, selon lequel la meilleure chose à faire était de lui sauter dessus quand il sortirait et d'aller le balancer dans l'étang du village.

Ces enthousiastes philosophes étaient si nombreux, et ils paraissaient si fichtrement déterminés, qu'il me sembla que la seule solution — puisque le jeune Bingo était malgré tout mon pote — consistait à retourner lui conseiller de relever le col de son veston et de filer en douce par une porte latérale. Je rebroussai donc chemin, et le trouvai assis sur une caisse dans les coulisses, transpirant assez abondamment et ressemblant plus ou moins à l'endroit marqué d'une croix où l'accident s'est produit. Ses cheveux se dressaient sur sa tête et ses oreilles pendaient, et il était évident qu'un mot un peu dur aurait suffi à le faire fondre en larmes.

— Bertie, dit-il d'une voix blanche quand il me vit, c'était ce saligaud de Steggles ! J'ai réussi à attraper un des gosses avant qu'il se sauve et il m'a tout raconté. Steggles a mis de vraies oranges à la place des balles de coton que j'avais spécialement préparées avec un soin infini et qui m'avaient coûté près d'une livre. Bon, je m'en vais maintenant lui arracher tous les membres l'un après l'autre. Ça va vraiment valoir le coup.

Je regrettais d'avoir à troubler sa rêverie, mais il le fallait.

— Bon sang, mon gars, dis-je, tu n'as plus le temps de t'adonner à des plaisirs frivoles. Tu dois sortir d'ici. Et vite !

— Bertie, continua Bingo d'une voix morne, elle était ici à l'instant. Elle a dit que tout était de ma faute et qu'elle ne m'adresserait plus jamais la parole. Elle a dit qu'elle m'avait toujours soupçonné d'être un mauvais plaisant sans cœur, et que maintenant elle en était sûre. Elle a dit... enfin, elle m'a passé un bon savon.

— S'il n'y avait que ça ! soupirai-je — désespérant d'amener le pauvre zig à une claire conscience de sa situation. Est-ce que tu te rends compte que deux bonnes centaines de lascars, parmi les plus costauds de Twing, t'attendent à la sortie pour aller te jeter dans l'étang ?

— Non !

— Parfaitement !

L'espace d'un instant, le pauvre gars parut accablé. Mais seulement l'espace d'un instant. Il y a toujours eu en Bingo quelque chose du bon vieux bouledogue anglais. Un sourire étrange et doux éclaira une seconde son visage.

— Ça ira, dit-il. Je peux me faufiler par la cave et escalader le mur de derrière. On ne m'intimide pas comme ça !

Ce fut, je pense, moins d'une semaine plus tard que Jeeves, après m'avoir apporté mon thé, détourna délicatement mon attention de la page hippique du *Morning Post* vers un faire-part de fiançailles dans le carnet mondain.

Quelques brèves lignes annonçaient l'union prochaine de l'honorable révérend Hubert Wingham, troisième fils du très honorable comte de Sturridge, et de Mary, fille unique de feu Mathieu Burgess, de Weatherly Court, Hants.

— Bien sûr, dis-je après y avoir jeté un coup d'œil, il fallait s'y attendre, Jeeves.

— Oui, Monsieur.

— Elle ne lui aurait jamais pardonné ce qui s'est passé ce soir-là.

— Non, Monsieur.

— Eh bien, continuai-je en buvant une gorgée de l'odorant et fumant breuvage, je suppose que Bingo reprendra vite le dessus. Ça doit être la cent onzième fois que ce genre de chose lui arrive. C'est plutôt pour vous que je suis désolé.

— Pour moi, Monsieur ?

— Sacré bon sang, vous ne pouvez pas avoir oublié tout le mal que vous vous êtes donné pour que Bingo réussisse son coup. Il est vraiment dommage que tous vos efforts aient été perdus.

— Pas entièrement perdus, Monsieur.

— Hein ?

— Il est vrai que mes efforts pour favoriser le mariage entre M. Little et la jeune demoiselle n'ont pas abouti, mais je repense toujours à cet épisode avec une certaine satisfaction.

— Parce que vous avez fait de votre mieux, vous voulez dire ?

— Pas exactement, Monsieur, bien qu'évidemment cela aussi me soit agréable. Je faisais plus particulièrement allusion aux avantages financiers de l'affaire.

— Des avantages financiers ? Que voulez-vous dire par là ?

— Quand j'ai appris que M. Steggles s'intéressait à la chose, Monsieur, mon ami Brookfield et moi nous sommes associés et avons racheté le fonds de bookmaker que l'aubergiste du *Cheval Blanc* avait mis sur pied pour l'occasion. Cela s'est révélé un investissement hautement profitable. Le petit déjeuner de Monsieur sera bientôt prêt. Rognons sur canapé et champignons. Je l'apporterai dès que Monsieur sonnera.

16

CLAUDE ET EUSTACHE SORTENT
DE SCÈNE

Le sentiment que j'eus ce matin-là, quand Tante Agatha vint me traquer dans ma tanière pour m'annoncer la mauvaise nouvelle, fut que la chance avait fini par me lâcher. En règle générale, voyez-vous, on ne m'entraîne pas dans les Histoires de Famille. Dans ces moments où les Tantes s'appellent entre elles comme des mastodontes bramant d'un bout à l'autre des marais primitifs, et où la lettre de l'oncle James s'inquiétant du comportement singulier de la cousine Mabel fait le tour du cercle de famille (« Prière de lire ceci attentivement et de faire suivre à Jane »), le clan a tendance à m'ignorer. C'est un des avantages qu'il y a à être célibataire — et de plus, selon ma très chère famille, un célibataire à peu près demeuré. « Ce n'est pas la peine d'essayer, ça n'intéresse pas du tout Bertie » — tel est plus ou moins le mot d'ordre, et j'avoue que cela me convient parfaitement. Je n'apprécie rien tant qu'une existence tranquille. Et c'est pourquoi j'eus l'impression que la Malédiction était sur moi, pour ainsi dire, lorsque Tante Agatha entra toutes voiles dehors dans mon salon alors que j'y fumai placidement une cigarette et se mit à me parler de Claude et d'Eustache.

— Dieu merci, dit-elle, tout est enfin arrangé pour Eustache et Claude.

— Arrangé? m'étonnai-je, n'en ayant pas la moindre idée.

— Ils prennent le bateau pour l'Afrique du Sud vendredi. M. Van Alstyne, un ami de cette pauvre Emily, leur a offert de bonnes situations dans sa société de Johannesburg, et nous espérons qu'ils se rangeront là-bas et qu'ils réussiront.

Je n'y comprenais rien.

— Vendredi? Après-demain, vous voulez dire?

— Oui.

— Pour l'Afrique du Sud?

— Oui. Ils partent sur l'*Edinburgh Castle*.

— Mais à quoi ça rime? Est-ce qu'ils ne sont pas en plein milieu de trimestre à Oxford?

Tante Agatha me regarda avec froideur.

— Tu ne vas tout de même pas me dire, Bertie, que tu t'intéresses si peu au sort des membres les plus proches de ta famille que tu ignores qu'ils ont été renvoyés d'Oxford il y a plus de quinze jours?

— Non, sans blague?

— Tu es incorrigible, Bertie. J'aurais pourtant cru que même toi...

— Pourquoi les a-t-on fichus à la porte?

— Ils ont versé de la limonade sur le conseiller d'éducation... Je ne vois rien d'amusant dans cet acte scandaleux, Bertie.

— Non, non, au contraire, me hâtai-je de dire. Je ne riais pas. Je toussais. Quelque chose dans la gorge, vous savez.

— Comme cette pauvre Emily — continua Tante Agatha — est une de ces mères poules qui font le malheur de leurs enfants, elle voulait garder les garçons à Londres. Elle a suggéré qu'ils préparent l'examen d'entrée à l'école d'officiers, mais j'ai été inflexible. Les colonies sont le seul endroit qui convienne à des jeunes fous comme Eustache et Claude. Ils partent donc vendredi. Ces deux dernières semaines, ils étaient chez ton oncle Clive dans le Worcestershire. Ils passeront la soirée de demain et la nuit à Londres et prendront le train de Southampton vendredi matin.

— C'est assez risqué, non? Je veux dire, est-ce qu'ils ne seront pas tentés de se payer un peu de bon temps s'ils sont laissés tout seuls à Londres?

— Ils ne seront pas tout seuls. Ils seront sous ta responsabilité.

— Quoi!

— Oui. Je voudrais que tu les héberges chez toi pour la nuit, et que tu veilles à ce qu'ils ne manquent pas leur train le lendemain matin.

— Oh! non!

— Bertie!

— Bon, ce sont tous les deux des garçons sympathiques et tout, mais pour le reste je ne sais pas. Ils sont plutôt cinglés, entre nous. Je suis toujours heureux de les voir, bien sûr, mais pour ce qui est de les héberger une nuit entière...

— Bertie, si tu es devenu à ce point insensible et égoïste que tu ne peux même pas supporter un insignifiant petit dérangement pour venir en...

— Oh! d'accord, dis-je. D'accord.

Ça ne servait à rien de discuter, naturellement. Tante Agatha me donne toujours l'impression que j'ai de la gélatine à la place de la colonne vertébrale. C'est une de ces femmes à poigne, vous savez. Je croirais volontiers que la reine Elisabeth Ire était une femme

234

comme elle. Quand elle me tient sous l'emprise de son regard brillant et qu'elle me dit par exemple : « Et que ça saute, mon garçon ! », j'obtempère sans discuter.

Quand elle fut partie, je sonnai Jeeves pour lui annoncer la nouvelle.

— Oh ! Jeeves, dis-je. Messieurs Claude et Eustache seront ici demain soir.

— Très bien, Monsieur.

— Je suis heureux que vous pensiez cela. Pour moi, cette visite n'augure absolument rien de bon. Vous connaissez ces deux gaillards !

— Des jeunes messieurs pleins d'allant, Monsieur.

— Des fléaux, Jeeves. D'incontestables fléaux. C'est un peu fort !

— Sera-ce tout, Monsieur ?

J'avoue que je me redressai alors avec un soupçon de hauteur. Nous autres Wooster nous raidissons diablement vite quand nous recherchons la compréhension et ne trouvons que la plus froide réserve. Je savais ce qui se passait, bien sûr. Depuis un ou deux jours, l'atmosphère dans l'appartement s'était sensiblement rafraîchie à cause d'une chouette paire de demi-guêtres que j'avais dénichée en furetant dans Burlington Arcade. Un type rudement malin, probablement le même qui a inventé ces étuis à cigarettes en couleurs, avait eu l'idée assez géniale de sortir une ligne de demi-guêtres sur le même principe. C'est-à-dire qu'au lieu des habituelles gris et blanc, vous pouviez désormais les choisir aux couleurs de votre université ou de votre régiment. Et, croyez-moi, il m'aurait fallu plus de force morale que je n'en ai pour résister à la paire de demi-guêtres « Vieil Eton » qui m'avait souri dans la vitrine. Ce ne fut pas avant d'être entré dans la boutique et d'avoir engagé les négociations que la pensée m'effleura que Jeeves pourrait ne pas approuver cet achat. Et je dois dire qu'il avait plutôt mal pris la chose. La vérité, c'est que Jeeves, bien qu'il soit à maints égards le meilleur valet de Londres, est trop conformiste. Vieux jeu, si vous voyez ce que je veux dire, et ennemi du Progrès.

— Ce sera tout, Jeeves, dis-je avec une dignité de bon aloi.

— Très bien, Monsieur.

Il posa sur les demi-guêtres un regard glacé et tourna les talons. Au diable les trouble-fête !

Je n'avais certainement jamais rien vu d'aussi guilleret et enjoué que les jumeaux lorsqu'ils entrèrent en caracolant dans le vieil appartement tandis que je m'habillais pour le dîner le lendemain soir. Je n'ai qu'une demi-douzaine d'années de plus qu'eux, mais curieusement, ils me donnent toujours l'impression que j'ai déjà atteint un âge canonique et n'attends plus que la fin. J'avais à peine pris conscience de leur arrivée qu'ils s'étaient déjà emparés des meilleurs fauteuils, approprié deux de mes cigarettes spéciales, versé un whisky-soda chacun, et qu'ils s'étaient mis à jacasser avec la gaieté et l'abandon de deux quidams qui viennent de réaliser leur plus chère ambition, et non de ramasser une terrible veste et d'être condamnés à l'exil.

— Salut, vieille branche, lança Claude. Vraiment chic de ta part de nous héberger.

— Oh ! ce n'est rien, dis-je. Je regrette seulement que vous ne restiez pas plus longtemps.

— Tu entends ça, Eustache ? Il regrette qu'on ne reste pas plus longtemps !

— Je suppose que ça lui paraîtra un temps assez long, remarqua Eustache avec philosophie.

— Tu as entendu parler de l'affaire, Bertie ? Notre petit ennui, je veux dire ?

— Oh ! oui. Tante Agatha m'a raconté.

— Nous quittons le pays pour le bien du pays, déclama Eustache.

— Et qu'aucun ne larmoie quand je prendrai la mer, continua Claude. Qu'est-ce que Tante Agatha t'a raconté ?

— Elle a dit que vous aviez versé de la limonade sur le conseiller d'éducation.

— Bon sang — protesta Claude, contrarié —, les gens ne peuvent jamais se rappeler les choses correctement. Ce n'était pas le conseiller d'éducation, c'était le directeur d'études.

— Et ce n'était pas de la limonade, ajouta Eustache. C'était de l'eau de Seltz. Il s'est trouvé que ce cher vieux directeur se tenait juste sous notre fenêtre alors que je m'y penchais moi-même, un siphon à la main. Il a levé les yeux, et… bon, ç'aurait été gâcher une occasion absolument unique que de ne pas lui lâcher une bonne giclée dans l'œil.

— Absolument unique, convint Claude.

— Ç'aurait pu ne jamais se reproduire, dit Eustache.

— Pas une chance sur cent, dit Claude.

— Et maintenant, dit Eustache, que proposes-tu, Bertie, pour faire passer à tes aimables hôtes une agréable soirée ?

— J'avais pensé casser la croûte ici, répondis-je. Jeeves est en train de préparer le dîner.

— Et ensuite ?

— Eh bien, je me disais qu'on pourrait parler de choses et d'autres, et puis l'idée m'est venue que vous voudriez sans doute vous coucher de bonne heure, puisque votre train part vers dix heures, si je ne m'abuse.

Les jumeaux se regardèrent d'un air apitoyé.

— Bertie, dit Eustache, ton programme est presque au point, mais pas tout à fait. Voici ma façon de voir les choses : nous irons faire un tour au *Ciro* après dîner. C'est une soirée d'adieu, oui ou non ? Bon, cela nous mènera jusque vers deux heures et demie, trois heures.

— Après quoi Dieu y pourvoira sûrement, ajouta Claude.

— Mais j'aurais cru que vous préféreriez une bonne nuit de repos.

— Une bonne nuit de repos ! s'exclama Eustache. Mon vieux Bertie, tu ne te figures tout de même pas qu'on songe à aller au *lit* cette nuit ?

La vérité, je suppose, c'est que je ne suis plus l'homme que j'étais. Je veux dire, ces nuits blanches ne me passionnent plus autant qu'il y a quelques années. Je me rappelle que quand j'étais à Oxford, un bal à Covent Garden jusqu'à six heures du matin, suivi d'un petit déjeuner au *Hammams* et peut-être d'une mêlée générale avec quelques marchands de quatre-saisons bien choisis, me paraissait relever de la prescription médicale. Alors qu'à présent, je dépasse rarement les deux heures du matin. Mais à cette heure-là, les jumeaux avaient tout juste atteint leur vitesse de croisière.

Si ma mémoire est bonne, après le *Ciro* nous allâmes jouer au baccara avec quelques types que je ne crois pas avoir rencontrés auparavant, et il devait être dans les neuf heures quand nous rentrâmes enfin au bercail — heure à laquelle, en ce qui me concernait, je l'avoue, l'insouciante fraîcheur originelle commençait

238

à s'estomper quelque peu. En fait, il me restait tout juste assez de force pour dire adieu aux jumeaux, leur souhaiter un agréable voyage et tout le succès possible en Afrique du Sud, et tituber jusqu'à mon lit. Avant de sombrer dans l'inconscience, j'entendis les deux loustics chanter comme des rossignols sous le jet de leur douche froide, en s'interrompant de temps à autre pour crier à Jeeves de s'activer avec les œufs au bacon.

Il devait être environ une heure de l'après-midi quand je me réveillai. J'avais plus ou moins l'impression d'être un de ces produits rejetés par le Bureau de Vérification de la Nourriture, mais il y avait une idée qui me réjouissait le cœur, et c'était qu'à cette même minute les jumeaux devaient s'appuyer au bastingage du paquebot et regarder s'éloigner le cher vieux pays. Je fus d'autant plus estomaqué de voir la porte s'ouvrir et Claude entrer.

— Salut, Bertie! lança-t-il. Tu es bien reposé? Que dirais-tu maintenant d'une bonne petite croûte?

J'avais eu tant d'horribles cauchemars depuis que je m'étais endormi que je crus un instant que ceci en était simplement un de plus, et le pire de tous. Ce ne fut que lorsque Claude s'assit sur mes pieds que je compris vraiment que j'avais affaire à la triste réalité.

— Saperlipopette! Que diable fais-tu ici? bredouillai-je.

Claude me lança un regard chargé de reproche.

— Ce n'est guère là le ton que j'aime entendre chez un hôte, Bertie, dit-il d'une voix également réprobatrice. Ne prétendais-tu pas, hier soir encore, que tu regrettais de ne pas me voir rester plus longtemps? Eh bien, ton désir a été exaucé. Je reste.

— Mais pourquoi n'es-tu pas en route pour l'Afrique du Sud?

— Je pensais bien que tu aimerais avoir un mot d'explication à ce sujet. Voici de quoi il s'agit, vieux. Tu te rappelles cette fille que tu m'as présentée au *Ciro* hier soir ?

— Quelle fille ?

— Il n'y en avait qu'une, répondit Claude avec froideur. C'était la seule qui comptait, je veux dire. Elle s'appelle Marion Wardour. J'ai pas mal dansé avec elle, si tu te souviens.

Je commençais à me rappeler vaguement en effet. Je connaissais Marion Wardour depuis quelque temps. Une fille très sympa. Elle joue en ce moment dans cette revue à l'Apollo. Je me souvenais à présent qu'elle était venue au *Ciro* la veille avec des amis, et que les jumeaux avaient insisté pour lui être présentés.

— C'est mon âme sœur, Bertie, continua Claude. Je m'en suis aperçu très tôt dans la soirée, et plus j'ai réfléchi à la question, plus j'en ai été convaincu. Ces choses arrivent parfois, tu sais. Deux cœurs qui battent à l'unisson, je veux dire, et tout ça. En un mot comme en cent, j'ai faussé compagnie à Eustache à la gare de Waterloo et je suis revenu ici. L'idée d'aller en Afrique du Sud en laissant une fille comme elle en Angleterre ne me sourit pas du tout. Je n'ai rien contre l'Empire ou l'aide aux colonies ou ce genre de truc, mais ce n'est vraiment pas possible. Après tout — ajouta-t-il, non sans raison — l'Afrique du Sud s'est très bien passée de moi jusqu'à maintenant, alors pourquoi ne continuerait-elle pas ?

— Mais... et Van Alstyne, ou quel que soit son nom ? Il va t'attendre, là-bas.

— Oh ! il aura Eustache. Ça lui suffira. Un gars digne de confiance, Eustache. Il finira probablement dans la peau d'un quelconque magnat de l'industrie.

Je suivrai les progrès de sa carrière avec énormément d'intérêt. Et maintenant, il faut m'excuser un moment, Bertie. Je voudrais aller trouver Jeeves pour qu'il me prépare un de ces petits remontants dont il a le secret. Pour une raison que je ne m'explique pas, j'ai une légère migraine ce matin.

Et, croyez-moi si vous voulez, la porte se fut à peine refermée derrière lui qu'elle se rouvrit brusquement et qu'Eustache apparut, le visage si rayonnant de fraîcheur matinale que sa vue me rendit malade.

— Oh! mes aïeux! m'exclamai-je.

Eustache se mit à glousser de bon cœur.

— Pas mal joué, hein, Bertie? dit-il. Je suis désolé pour ce pauvre vieux Claude, mais je n'avais pas le choix. J'ai trompé sa vigilance à la gare et j'ai pris la tangente en taxi. Je suppose que le pauvre nigaud se demande où diable j'ai bien pu aller. Mais ce n'est pas de ma faute. Si tu t'attendais vraiment à ce que j'aille trimer en Afrique du Sud, tu n'aurais pas dû me présenter à Mlle Wardour hier soir. Il faut que je te raconte, Bertie. Je ne suis pas quelqu'un — continua Eustache en s'asseyant sur mon lit — qui tombe amoureux de toutes les filles qu'il rencontre. J'imagine que « solide et réfléchi » serait la meilleure formule que tu pourrais trouver pour me décrire. Mais quand je rencontre l'âme sœur, je ne perds pas de temps. Je...

— Oh! bon Dieu! Tu es amoureux de Marion Wardour aussi?

— Aussi? Comment ça, « aussi »?

J'allais lui parler de Claude, quand le lascar entra en personne, ressemblant à un colosse remis sur pied. Il ne fait aucun doute que seule une momie égyptienne resterait insensible aux remontants de Jeeves. Ce qu'il met dedans — la sauce Worcester ou quelque chose comme ça —, agit toujours. Claude s'était ranimé comme une fleur arrosée, mais il faillit avoir une rechute en apercevant son frangin qui le regardait, les yeux ronds, par-dessus la barre du lit.

— Mais qu'est-ce que tu fais ici? demanda-t-il.

— Mais qu'est-ce que *tu* fais ici? répéta Eustache.

— Est-ce que tu es revenu pour infliger ton odieuse compagnie à Mlle Wardour?

— C'est pour ça que tu es toi-même revenu?

Le débat se poursuivit quelques minutes.

— Bon, conclut finalement Claude, je suppose qu'on n'y peut rien. Si tu es là, tu es là! Que le meilleur gagne!

— Oui, mais bon sang! parvins-je à placer alors. Qu'est-ce que ça signifie? Où avez-vous l'intention de loger si vous restez à Londres?

— Mais ici, répondit Eustache, surpris.

— Où est-ce qu'on pourrait aller? renchérit Claude en levant les sourcils.

— Tu ne vas pas refuser de nous héberger, Bertie? dit Eustache.

— Pas un chic type comme toi, ajouta Claude.

— Mais, bougres d'idiots, supposez un instant que Tante Agatha découvre que je vous cache ici alors que vous devriez être en Afrique du Sud? Qu'est-ce que je deviens dans tout ça, moi?

— C'est vrai, qu'est-ce qu'il devient dans tout ça? demanda Claude à Eustache.

— Oh! je pense qu'il se débrouillera, répondit Eustache.

— Mais oui, dit Claude en retrouvant tout son entrain. Il se débrouillera sûrement!

— Et comment! dit Eustache. Un gars aussi malin que Bertie! Bien sûr qu'il se débrouillera.

242

— Et maintenant, dit Claude en classant le dossier, si nous cassions cette petite croûte dont nous parlions à l'instant, Bertie ? Le truc que ce brave Jeeves vient de m'administrer m'a donné ce qu'on pourrait appeler un sérieux appétit. Je pense qu'une demi-douzaine de côtelettes et un bon vieux pudding devraient faire à peu près l'affaire.

Je suppose que chacun sur cette terre connaît de noires périodes dans sa vie, dont il ne peut se souvenir sans s'assombrir ni frémir en silence. Certains, à en juger par les romans qu'on lit aujourd'hui, n'en sortent pour ainsi dire jamais ; cependant, avec le confortable revenu et l'excellente digestion dont je jouis, je dois dire qu'il ne m'arrive pas très souvent de trouver la roue de mon existence à plat. C'est pourquoi l'époque en question est une de celles auxquelles je pense le moins possible. Car les jours qui suivirent la résurrection inattendue des satanés jumeaux furent si abominables que les vieux nerfs commencèrent à me sortir du corps en se recroquevillant au bout. J'étais dans tous mes états, croyez-moi. Ce qu'il y a, j'imagine, c'est que nous autres Wooster sommes si terriblement honnêtes et ouverts et tout, que nous détestons avoir à tromper qui que ce soit.

Tout fut calme le long du Potomac pendant environ vingt-quatre heures, et puis Tante Agatha s'amena pour avoir une petite discussion avec moi. Vingt minutes plus tôt, elle aurait trouvé les jumeaux en train de s'activer gaiement devant quelques tranches de bacon et des œufs. Elle se laissa tomber dans un fauteuil, et je remarquai qu'elle n'avait pas sa pêche habituelle.

— Bertie, commença-t-elle, je suis inquiète.

Je l'étais moi aussi. J'ignorais combien de temps elle comptait rester, et quand les jumeaux reviendraient.

— Je me demande, dit-elle, si je n'ai pas été trop dure avec Claude et Eustache.

— C'est impossible.

— Que veux-tu dire par là ?

— Je... je voulais dire que ça ne vous ressemblerait pas d'être dure avec qui que ce soit, Tante Agatha.

Pas mal, hein ? Du tac au tac, comme ça, sans réfléchir... Ma vieille parente parut satisfaite de ma réponse, et me regarda avec un peu moins de répulsion qu'à l'accoutumée.

— C'est gentil de ta part de dire cela, Bertie, mais ce que je me demandais, c'est s'ils sont *en sécurité*.

— S'ils sont *quoi* ?

Ces mots semblaient vraiment étranges, appliqués aux jumeaux, qui sont à peu près aussi vulnérables qu'une paire de jeunes et fringantes tarentules.

— Tu crois que tout va bien pour eux ?

— Pourquoi donc cela n'irait-il pas ?

Tante Agatha posa sur moi un regard presque rêveur.

— Est-ce que l'idée ne t'est jamais venue à l'esprit, Bertie, que ton oncle George puisse être médium ?

Je crus qu'elle changeait de sujet.

— Médium ?

— Penses-tu qu'il soit possible qu'il *voie* des choses invisibles au commun des mortels ?

Je pensais que c'était en effet diantrement possible, voire probable. Je ne sais pas si vous connaissez mon oncle George. C'est un joyeux drille qui passe son temps à vadrouiller de club en club et à lever le coude en compagnie d'autres joyeux drilles de son âge. Quand il apparaît, les garçons secouent leur apathie et les doigts du sommelier jouent avec le tire-bouchon. C'est mon oncle George qui a découvert, bien avant la médecine moderne, que l'alcool était une nourriture.

— Ton oncle George dînait avec moi hier soir, et il était assez secoué. Il affirme qu'en se rendant du *Devonshire Club* au *Boodle*, il a vu tout à coup l'ectoplasme d'Eustache.

— Le quoi d'Eustache ?

— L'ectoplasme. Le spectre. Il était si net qu'il a cru un instant qu'il s'agissait d'Eustache lui-même. La forme a disparu au coin de la rue, et quand Oncle George y est arrivé, il n'y avait rien à voir. Tout cela est très étrange et troublant. Ce pauvre George en a été fort affecté. Pendant le dîner il n'a bu que de l'orgeat, et il avait l'air bouleversé. Crois-tu vraiment que ces chers garçons sont sains et saufs, Bertie ? Qu'ils n'ont pas eu quelque horrible accident ?

Cette pensée me fit venir l'eau à la bouche, mais je dis que non, je ne croyais pas qu'ils aient eu quelque horrible accident. Je pensais qu'Eustache était en lui-même un horrible accident, et Claude également, mais je me tus, et bientôt Tante Agatha se sauva, toujours inquiète.

Lorsque les jumeaux revinrent, je leur exposai ma pensée. C'était sans doute très amusant de donner des chocs à l'oncle George, mais ils ne devaient pas se promener ainsi dans les rues de la capitale.

— Mais, chère vieille âme, protesta Claude, sois raisonnable. Nous ne pouvons être limités dans nos mouvements.

— C'est hors de question, dit Eustache.

— L'essence même de la chose, si tu me suis, insista Claude, c'est que nous soyons libres de voleter ici ou là.

— Tout à fait, confirma Eustache. Tantôt ici, tantôt là.

— Mais, bon sang de bon Dieu...

— Bertie! fit Eustache avec reproche. Ne jure pas devant le petit!

— Bien sûr, dans un sens, il a raison, remarqua Claude. Je suppose que la solution du problème serait d'acheter des déguisements.

— Ce brave Claude! s'exclama Eustache en le regardant d'un air admiratif. Voilà une idée absolument géniale! Elle ne peut pas être de toi?

— A vrai dire, c'est Bertie qui me l'a suggérée.

— Moi!

— Oui, en me racontant l'autre jour comment ce vieux Bingo Little avait acheté une barbe pour ne pas être reconnu de son oncle.

— Si vous croyez que je vais tolérer que deux épouvantails barbus entrent et sortent sans arrêt de chez moi...

— Tu n'as pas tort, convint Eustache. Nous mettrons des moustaches, alors.

— Et des faux nez, ajouta Claude.

— Absolument. Entendu, donc, mon vieux Bertie. Tu n'as plus de souci à te faire. Nous ne voulons te causer aucun ennui pendant notre petite visite.

Et quand j'allai chercher quelque réconfort auprès de Jeeves, tout ce qu'il trouva à dire, c'est qu'il faut bien que jeunesse se passe. Aucune parole de sympathie.

— Très bien, Jeeves, dis-je. Je vais faire un tour dans le Parc. Sortez-moi mes demi-guêtres « Vieil Eton », s'il vous plaît.

— Très bien, Monsieur.

Ce fut environ deux jours plus tard que Marion Wardour passa me voir à l'heure du thé. Elle jeta un regard circonspect autour d'elle avant de s'asseoir.

246

— Tes cousins ne sont pas ici, Bertie? demanda-t-elle.

— Non, Dieu merci!

— Alors je vais te dire où ils sont. Ils sont dans mon salon à attendre mon retour en se regardant en chiens de faïence d'un coin de la pièce à l'autre. Bertie, il faut que cela cesse.

— Tu les vois beaucoup, hein?

Jeeves entra avec le thé, mais la malheureuse était si agitée qu'elle n'attendit même pas qu'il fût sorti pour continuer ses doléances. Elle paraissait vraiment à bout de nerfs, la pauvre.

— Je ne peux plus faire un pas sans me retrouver nez à nez avec l'un ou l'autre, ou avec les deux à la fois, dit-elle. Les deux, en général. Ils ont pris l'habitude de venir en même temps, et voilà, chacun s'installe sombrement dans son coin et essaie de rester plus longtemps que l'autre. Ça me tue.

— Je sais, dis-je d'une voix compatissante. Je sais.

— Eh bien, qu'est-ce qu'on peut faire?

— Ce que je ne comprends pas, c'est pourquoi tu ne dis pas à ta bonne de dire que tu n'es pas là.

Elle frissonna légèrement.

— J'ai essayé une fois. Ils ont campé sur le palier, et je n'ai pas pu sortir de tout l'après-midi. Et j'avais un tas de rendez-vous particulièrement importants. Si seulement tu parvenais à les convaincre d'aller en Afrique du Sud, où il paraît qu'on les attend.

— Tu as dû leur produire une sacrée impression.

— Il faut croire. Ils ont même commencé à me faire des cadeaux. Claude, du moins. Il a insisté pour que j'accepte cet étui à cigarettes hier soir. Il est venu au théâtre et il n'a pas voulu partir avant que je l'accepte. Ce n'est pas de la camelote, je dois dire.

En effet. C'était un objet incontestablement haut de gamme, en or, avec un diamant incrusté au milieu. Et le plus étrange était qu'il me semblait bien avoir vu quelque chose de très ressemblant quelque part. En outre, je me demandais vraiment comment diable Claude avait pu réunir la somme nécessaire pour acheter un truc pareil.

Le lendemain était un mercredi, et comme l'objet de leur flamme jouait en matinée, les jumeaux avaient quartier libre, pour ainsi dire. Claude était allé avec ses moustaches à l'hippodrome de Hurst Park, tandis qu'Eustache et moi bavardions au salon. Enfin, *il* bavardait et je souhaitais qu'il s'en aille.

— L'amour d'une honnête femme, Bertie, disait-il, doit être une chose merveilleuse. Parfois... Sapristi ! Qu'est-ce que...

La porte d'entrée s'était ouverte, et du vestibule nous parvenait la voix de Tante Agatha demandant si j'étais là. Tante Agatha possède une de ces voix aiguës et perçantes, et c'était bien la première fois que j'en rendais grâces au Ciel. Il ne nous restait que deux secondes environ pour dégager la voie, mais Eustache eut le temps de plonger sous le sofa. Sa dernière chaussure venait de disparaître quand elle entra.

Elle avait l'air soucieuse. D'ailleurs il me semblait que tout le monde avait maintenant cet air-là.

— Bertie, demanda-t-elle, quels sont tes projets immédiats ?

— Eh bien, je dîne ce soir avec...

— Non, non, je ne veux pas dire ce soir. Es-tu libre dans les jours à venir ? Mais bien sûr que tu es libre, continua-t-elle sans attendre ma réponse. Tu n'as jamais rien à faire. Ta vie tout entière se passe dans une oisive... mais nous pourrons revenir là-dessus plus tard. Si je te rends visite cet après-midi, c'est pour te dire que je désire que tu accompagnes ton pauvre oncle George à Harrogate pendant quelques semaines. Le plus tôt sera le mieux.

Il me sembla que cela dépassait les bornes de plusieurs années-lumière, aussi émis-je un glapissement de protestation. Oncle George est certes un brave type, mais il ne faut pas pousser. J'essayai de l'expliquer à Tante Agatha, mais elle me fit signe de me taire.

— S'il te reste un peu de cœur, Bertie, tu me rendras ce service. Ton pauvre oncle a eu un gros choc.

— Quoi, encore un ?

— Il pense que seuls un repos complet et des soins attentifs permettront à son système nerveux de retrouver un certain équilibre. Il semble que les eaux de Harrogate lui aient fait quelque bien dans le passé, et il voudrait y retourner. Nous pensons qu'il ne devrait pas y a.ler seul, c'est pourquoi je désire que tu l'accompagnes.

— Mais enfin...

— Bertie !

Un ange passa.

— Quel choc a-t-il eu cette fois ? m'enquis-je.

— Entre nous, dit Tante Agatha en baissant dramatiquement la voix, j'incline à penser que toute cette affaire est la conséquence d'une imagination enfiévrée. Tu fais partie de la famille, Bertie, et je peux te parler franchement. Tu sais aussi bien que moi que ton pauvre oncle George n'est *pas*... qu'il a... euh... pris l'habitude de... comment dire ?

— Picoler un peu ?

— Pardon ?

— Se piquer le nez?

— Je réprouve au plus haut point ta façon de t'exprimer, mais je dois reconnaître qu'il n'a pas toujours été, peut-être, aussi sobre qu'il aurait dû. Il est excitable, et... le fait est qu'il a eu un choc.

— Oui, mais quoi?

— C'est ce qu'il est si difficile de lui faire expliquer avec un minimum de clarté. Malgré toutes ses qualités, ton pauvre oncle a tendance à devenir incohérent quand il est fortement ému. Si j'ai bien compris, il aurait été victime d'un cambriolage.

— Un cambriolage?

— Il dit qu'un homme à l'allure bizarre, avec des moustaches et un drôle de nez, est entré dans son appartement de Jermyn Street en son absence et lui a volé quelque chose. Il affirme qu'en rentrant chez lui il a trouvé cet homme dans son salon. Il s'est immédiatement sauvé en courant.

— Oncle George?

— Non, l'homme. Et, à en croire ton oncle, il a dérobé un étui à cigarettes de grande valeur. Mais, comme je te le disais, j'incline à penser que tout ceci est le fruit de son imagination. Il n'a plus été tout à fait le même depuis le jour où il a cru voir Eustache dans la rue. Voilà pourquoi je voudrais, Bertie, que tu te tiennes prêt à l'accompagner à Harrogate samedi au plus tard.

Elle mit les voiles, et Eustache s'extirpa de dessous le sofa. Le gars était très contrarié. Moi aussi, d'ailleurs. L'idée d'avoir à passer plusieurs semaines avec Oncle George à Harrogate m'avait cassé le moral.

— Voilà donc où il a trouvé cet étui à cigarettes, ce bandit! s'exclama amèrement Eustache. Si ce n'est pas malheureux! Voler ainsi les siens! Ce type devrait être en taule.

— Il devrait être en Afrique du Sud, dis-je. Et toi aussi.

Et, avec une éloquence qui me surprit quelque peu moi-même, je l'admonestai pendant une dizaine de minutes au sujet des devoirs qu'il convient d'observer envers sa famille et ainsi de suite. Je fis appel à son sens de l'honneur. Je vantai avec fougue les mérites de l'Afrique du Sud. J'utilisai tous les arguments que je pus trouver, plutôt deux fois qu'une. Mais le corniaud ne cessait de maugréer contre la traîtrise de son satané frère qui l'avait roulé dans la farine avec cette histoire d'étui à cigarettes. Il semblait penser que Claude, en refilant à la fille le somptueux objet, avait pris plusieurs longueurs d'avance sur lui : et il y eut une scène assez pénible quand ledit Claude revint de Hurst Park. Je les entendis discuter une bonne partie de la nuit, bien après que mes pas chancelants m'eurent porté jusqu'à mon lit. Je n'avais jamais vu d'individus qui pouvaient se passer de sommeil autant que ces deux-là.

Après cela, l'atmosphère devint quelque peu tendue dans l'appartement, à cause de Claude et d'Eustache qui ne se parlaient pas. J'apprécie une certaine sociabilité dans mes murs, et c'était épuisant d'avoir à vivre avec deux gus dont aucun ne voulait admettre l'existence de l'autre.

On sentait bien que cette situation ne pouvait durer très longtemps, et, sapristi, elle ne dura pas. Mais si quelqu'un m'avait dit la veille ce qui allait se passer, je me serais contenté de sourire tristement. J'étais devenu si intimement persuadé que seule une charge de dynamite pourrait déloger ces deux oiseaux de mon nid, que lorsque Claude s'approcha de moi en catimini le vendredi matin et m'annonça la nouvelle, j'eus du mal à en croire mes oreilles.

— Bertie, dit-il, j'ai bien réfléchi.

— A quoi donc?

— A toute cette affaire. Au fait que je reste à Londres alors que je devrais être en Afrique du Sud. Ce n'est pas loyal — continua Claude avec chaleur —, ce n'est pas bien. Bref, mon vieux Bertie, je pars demain.

Le sol tangua sous mes pieds.

— Pas possible? suffoquai-je.

— Oui. Si ça ne te fait rien d'envoyer Jeeves m'acheter un billet. Je crains d'avoir à t'emprunter l'argent du voyage, vieux. Tu veux bien?

— Si je veux bien! m'écriai-je en agrippant sa main avec ferveur.

— C'est parfait, alors. Oh! dis donc, pas un mot de tout ceci à Eustache, s'il te plaît.

— Comment, il ne part pas?

— Non, Dieu merci! A la seule pensée d'être enfermé sur un bateau avec ce cornichon, la moutarde me monte au nez. Non, pas un mot à Eustache. Dis donc, tu crois que tu peux m'avoir une couchette si peu de temps avant le départ?

— Et comment!

Plutôt que de laisser filer une telle occasion, j'aurais volontiers acheté le foutu paquebot.

— Jeeves! dis-je en me ruant dans la cuisine. Courez au bureau de la compagnie Union Castle et réservez une couchette pour Monsieur Claude sur le bateau qui part demain. Il nous quitte, Jeeves.

— Oui, Monsieur.

— Monsieur Claude ne souhaite pas que ce départ soit mentionné devant Monsieur Eustache.

— Non, Monsieur. Monsieur Eustache m'a fait la même recommandation quand il m'a demandé de lui obtenir une couchette sur le même bateau.

Je le regardai, bouche bée.

— Il part aussi ?

— Oui, Monsieur.

— C'est bizarre.

— Oui, Monsieur.

Si les circonstances avaient été autres, mon attitude envers Jeeves aurait alors perdu beaucoup de sa raideur. J'aurais gambadé un peu autour de lui en poussant des cris de joie et ainsi de suite. Mais ces demi-guêtres dressaient toujours une barrière entre nous, et je regrette de dire que je profitai de l'occasion pour enfoncer un peu plus le couteau dans la plaie. Il avait été si bougrement distant et froid — tout en sachant pertinemment que le jeune maître était dans la panade et qu'il aurait facilement pu lui venir en aide — que je ne pus m'empêcher de souligner le fait que cet heureux dénouement était survenu sans qu'il y fût pour rien.

— Et voilà, Jeeves, dis-je. L'épisode est fini. Je savais bien que les choses s'arrangeraient d'elles-mêmes, si on leur en laissait le temps et si on gardait son sang-froid. Bien des gens, à ma place, auraient perdu leur sang-froid, Jeeves.

— Oui, Monsieur.

— Auraient couru ici et là, je veux dire, pour demander de l'aide et des conseils et ainsi de suite.

— C'est très possible, Monsieur.

— Mais pas moi, Jeeves.

— Non, Monsieur.

Je le laissai méditer sur ces paroles.

Même la pensée qu'il me faudrait aller à Harrogate avec Oncle George ne put me déprimer ce samedi-là quand, faisant le tour du vieil appartement, je m'aperçus que Claude et Eustache n'y étaient plus. Ils avaient filé, furtivement et séparément, juste après le petit déjeuner, Eustache pour prendre le train à la gare de Waterloo, Claude pour se rendre au garage où je gardais ma voiture. Je ne tenais pas à ce qu'ils se rencontrent par hasard à Waterloo et changent d'avis, aussi avais-je suggéré à Claude la possibilité d'un trajet en voiture plus agréable jusqu'à Southampton.

J'étais allongé sur mon vieux canapé et regardais paisiblement les mouches au plafond en songeant que la vie était décidément une chose merveilleuse, lorsque Jeeves entra avec une lettre.

— Un messager a apporté ceci, Monsieur.

J'ouvris l'enveloppe, et la première chose qui en tomba fut un billet de cinq livres.

— Saperlipopette ! dis-je. Qu'est-ce que c'est que ça ?

La lettre était brève et griffonnée au crayon :

Cher Bertie — Remets s'il te plaît le billet ci-joint à ton valet, et dis-lui que j'aimerais pouvoir lui donner plus. Il m'a sauvé la vie. C'est la première fois depuis une semaine que je me sens heureuse. Bien à toi,

M. W.

Jeeves tenait entre ses doigts le billet de cinq livres, qui était tombé en tourbillonnant sur le plancher.

— Vous pouvez le garder, dis-je. C'est pour vous, à ce qu'il paraît.

— Monsieur ?

— Je dis que ce billet est pour vous, apparemment. C'est Mlle Wardour qui l'a envoyé.

— C'est vraiment très aimable de sa part, Monsieur.

254

— Pourquoi diable vous envoie-t-elle cinq livres ? Elle dit que vous lui avez sauvé la vie.

— Elle surestime mes services, Monsieur.

— Mais bon sang, de *quels* services s'agit-il ?

— C'était au sujet de messieurs Claude et Eustache, Monsieur. J'espérais qu'elle n'y ferait pas allusion, car je ne voulais pas que Monsieur crût que j'avais commis une indiscrétion.

— Comment ça ?

— Il se trouve que j'étais dans la pièce lorsque Mlle Wardour s'est plainte avec quelque ardeur de la manière dont messieurs Claude et Eustache la poursuivaient de leurs assiduités. J'ai pensé qu'en de telles circonstances il pourrait être excusable de suggérer une petite ruse qui lui permettrait de mettre fin à cette situation.

— Sapristi ! Vous n'allez pas me dire que c'est vous qui les avez fait décaniller finalement !

J'avais vraiment l'air d'un imbécile. Je veux dire, après avoir insisté aussi lourdement sur le fait que je m'en étais tiré sans son aide.

— L'idée m'est venue que si Mlle Wardour informait séparément Monsieur Claude et Monsieur Eustache de son intention de se rendre en Afrique du Sud à l'occasion d'une tournée théâtrale, l'effet désiré pourrait être obtenu. Il semble que mes prévisions se soient révélées exactes, Monsieur. Les jeunes gentlemen ont tout gobé, si je puis me permettre cette expression.

— Jeeves, dis-je — nous autres Wooster pouvons faire des bourdes, mais nous ne sommes jamais trop fiers pour le reconnaître —, vous êtes un as !

— Merci beaucoup, Monsieur.

Tout à coup une pensée horrible me traversa l'esprit.

— Oh! mais dites donc! Quand ils s'embarqueront et qu'ils s'apercevront qu'elle n'est pas sur le bateau, est-ce qu'ils ne vont pas rappliquer ventre à terre?

— J'ai prévu cette éventualité, Monsieur. J'ai conseillé à Mlle Wardour de dire aux jeunes messieurs qu'elle se proposait de voyager par voie de terre jusqu'au Portugal et de rejoindre le bateau à Madère.

— Et où feront-ils escale après cela?

— Nulle part, Monsieur.

Je restai un moment silencieux sur mon canapé, pour mieux m'imprégner de l'essence de la chose. L'histoire me paraissait ne comporter qu'un seul défaut.

— Ce qui me chiffonne, dis-je, c'est que sur un aussi grand bateau ils pourront s'éviter l'un l'autre. Je veux dire, j'aurais aimé savoir que Claude était contraint de supporter chaque jour la compagnie d'Eustache et vice versa.

— Je pense qu'il en sera ainsi, Monsieur. J'ai réservé une cabine à deux places. Monsieur Claude occupera une couchette, Monsieur Eustache l'autre.

J'eus un soupir de pure extase. Il paraissait rudement dommage qu'en une circonstance aussi joyeuse je dusse aller à Harrogate avec mon oncle George.

— Avez-vous commencé à faire ma valise, Jeeves? demandai-je.

— Votre valise, Monsieur?

— Je dois aller à Harrogate aujourd'hui avec Sir George.

— Bien sûr, oui, Monsieur. J'ai oublié d'en parler à Monsieur. Sir George a téléphoné ce matin alors que Monsieur dormait encore, pour dire qu'il avait changé ses plans. Il n'a plus l'intention de se rendre à Harrogate.

— Oh! mais dites donc, Jeeves, c'est formidable!

— Je pensais que Monsieur serait satisfait.

— Qu'est-ce qui l'a incité à changer d'avis? Il vous l'a dit?

— Non, Monsieur. Mais il semblerait, d'après son valet, Stevens, qu'il se sente beaucoup mieux et n'ait plus besoin d'une cure de repos. Je me suis permis de donner à Stevens la recette de mon remontant, dont Monsieur a toujours dit tant de bien. Stevens m'apprend que Sir George lui a confié ce matin qu'il se sentait un homme nouveau.

Bon. Il n'y avait qu'une chose à faire, et je la fis. Je ne dis pas qu'il ne m'en coûta rien, mais je n'avais pas le choix.

— Jeeves, dis-je, ces demi-guêtres.

— Oui, Monsieur?

— Vous les détestez vraiment?

— Profondément, Monsieur.

— Vous ne pensez pas que le temps modifiera votre jugement?

— Non, Monsieur.

— Très bien. N'en parlons plus. Vous pouvez les brûler.

— Merci beaucoup, Monsieur. C'est déjà fait. Ce matin avant le petit déjeuner. Un gris discret est beaucoup plus seyant, Monsieur. Merci, Monsieur.

17

BINGO ET LA PETITE FEMME

Ce fut environ une semaine après le départ de Claude et d'Eustache que je rencontrai le jeune Bingo Little dans le fumoir du *Senior Liberal Club*. Il était renversé dans un fauteuil, la bouche ouverte, ressemblant plus ou moins à l'idiot du village, tandis qu'un peu plus loin un type à barbe grise le regardait avec une telle hostilité que j'en conclus que Bingo lui avait piqué son siège favori. C'est bien ça le pire quand vous vous trouvez dans un club qui n'est pas le vôtre — absolument sans le vouloir, vous piétinez à chaque pas les droits coutumiers des Vieux Autochtones.

— Hello, p'tite tête, dis-je.

— Salut, l'affreux, répondit le jeune Bingo, et nous nous disposâmes à prendre un petit apéritif avant le déjeuner.

Une fois l'an, le conseil d'administration de notre vieux *Drones Club*[1] décide qu'un bon nettoyage général ne ferait pas de mal, aussi nous refoule-t-on vers quelque autre institution pour deux ou trois semaines. Cette fois, nous avions trouvé refuge au *Senior Liberal*, et personnellement je trouvais l'épreuve assez

1. *Drone* : mot désignant un faux-bourdon, ou un bruit ronronnant, mais aussi un paresseux, un parasite. (*N.d.T.*)

atroce. Je veux dire, quand vous êtes habitué à un club où tout est sympathique et joyeux, et où, si vous souhaitez attirer l'attention d'un quidam, vous n'avez qu'à lever le bout de pain que vous tenez à la main, ça ne vous remonte pas vraiment le moral de débarquer dans un endroit où le plus jeune membre a environ quatre-vingt-sept ans et où il n'est pas bien vu d'adresser la parole à quiconque n'a pas fait la guerre d'Espagne napoléonienne avec vous. C'était un soulagement de rencontrer Bingo. Nous nous mîmes à parler à voix basse.

— Ce club, dis-je, est une horreur.

— A se flinguer, convint le jeune Bingo. Je crois bien que ce vieux là-bas près de la fenêtre est mort depuis trois jours, mais je n'ose pas le signaler à qui que ce soit.

— Est-ce que tu as déjà mangé ici ?

— Non, pourquoi ?

— Ils ont des serveuses au lieu de serveurs.

— Sapristi ! Je croyais que cela avait disparu avec l'armistice.

Bingo rêva un moment en arrangeant distraitement sa cravate.

— Euh… Jolies filles ? s'enquit-il enfin.

— Non.

Il parut déçu, mais se reprit vite.

— En tout cas, il paraît que la cuisine est la meilleure de Londres.

— C'est ce qu'on dit. On y va ?

— D'accord. Je suppose, ajouta le jeune Bingo, qu'à la fin du repas, ou peut-être au début, la serveuse dira : « Une seule addition, Messieurs ? » Réponds par l'affirmative. Je n'ai pas un radis.

— Ton oncle ne t'a pas encore pardonné ?

— Pas encore, que le diable l'emporte!

Désolé d'apprendre qu'ils étaient toujours brouillés, je décidai d'offrir au pauvre vieux neveu un bon déjeuner, et j'étudiai soigneusement la carte quand la serveuse l'apporta.

— Que dirais-tu, demandai-je finalement à Bingo, de ce menu : quelques œufs de pluvier pour commencer, potage, un peu de saumon froid, bœuf au curry, une tranche de tarte à la groseille et à la crème, et un morceau de fromage pour finir?

Je ne m'étais certes pas attendu à ce que le gars hurlât de joie, bien que mon choix eût été dicté par ce que je savais de ses préférences culinaires, mais j'avais quand même cru qu'il dirait quelque chose. Je levai les yeux, et m'aperçus que son attention était retenue ailleurs. Il fixait la serveuse de l'air d'un chien qui vient de se souvenir de l'endroit où il a enterré son os.

C'était une fille assez grande, avec des yeux noisette, doux et expressifs. Silhouette agréable et tout. D'assez belles mains, aussi. Je ne me rappelais pas l'avoir déjà vue, et je dois dire qu'elle relevait de plusieurs crans le standing de la maison.

— Qu'en dis-tu, vieux? répétai-je, impatient de commander le repas pour pouvoir passer rapidement aux choses sérieuses.

— Hein? fit le jeune Bingo d'un air absent.

Je récitai le programme encore une fois.

— Oh! oui, très bien, dit Bingo. Ce que tu veux. N'importe quoi.

La fille s'éloigna, et alors il se tourna vers moi, les yeux exorbités.

— Pourquoi m'as-tu dit qu'elles n'étaient pas jolies, Bertie? demanda-t-il d'un ton de reproche.

— Oh! bon sang! m'exclamai-je. Ne me dis pas que

tu es encore tombé amoureux — et d'une fille que tu as vue deux minutes à peine ?

— Il y a des moments, répliqua le jeune Bingo, où un simple coup d'œil suffit — où, au milieu d'une foule, nous croisons le regard d'une inconnue, et quelque chose semble murmurer...

A cet instant les œufs de pluvier arrivèrent, et il interrompit ses remarques pour se jeter dessus avec un assez féroce appétit.

— Jeeves, dis-je ce soir-là en rentrant chez moi, tenez-vous prêt.

— Monsieur ?

— Mettez les vieilles méninges sous pression et soyez vigilant. J'ai dans l'idée que M. Little ne va pas tarder à venir chercher auprès de nous réconfort et assistance.

— M. Little aurait-il des ennuis, Monsieur ?

— En quelque sorte, oui. Il est amoureux. Pour la cinquante-troisième fois au moins. Je vous le demande, Jeeves, d'homme à homme, avez-vous jamais vu un pareil lascar ?

— Il est certain que M. Little s'enflamme assez facilement, Monsieur.

— Assez facilement ! J'imagine qu'il devrait porter des gilets en amiante. Quoi qu'il en soit, tenez-vous prêt, Jeeves.

— Très bien, Monsieur.

Ça ne fit pas un pli. Dix jours ne s'étaient pas écoulés que le vieux bêta rappliquait, appelant d'une voix bêlante des volontaires à sortir du rang pour s'élancer à sa rescousse.

— Bertie, dit-il, si tu es un copain, c'est le moment de le montrer.

— Vas-y, vieille gargouille, répliquai-je. Nous sommes tout ouïe.

— Tu te rappelles ce déjeuner que tu m'as payé au *Senior Liberal* il y a quelques jours. On a été servis par une...

— Je me souviens. Une grande nana à la taille souple.

Un frisson le parcourut.

— J'aimerais bien que tu ne parles pas d'elle sur ce ton, bon sang. C'est un ange.

— D'accord. Continue.

— Je l'aime.

— D'aac-cord! La suite.

— Nom d'un chien, ne me bouscule pas. Laisse-moi raconter l'histoire à ma manière. Je l'aime, comme je le disais, et je voudrais, mon vieux Bertie, que tu fasses un saut chez mon oncle pour effectuer une petite mission diplomatique. Cette mensualité doit être rétablie, et le plus vite possible. Et qui plus est, elle doit être augmentée.

— Mais enfin, dis-je — car ce fichu projet était loin de m'enthousiasmer —, pourquoi ne pas attendre un peu?

— Attendre? A quoi bon attendre?

— Eh bien, tu sais comment ça se passe en général quand tu tombes amoureux. La mécanique finit par s'enrayer et tu es plaqué. Il vaudrait beaucoup mieux s'occuper de ton oncle seulement après que tout aura été décidé et arrangé.

— Mais *c'est* décidé et arrangé. Elle m'a accordé sa main ce matin.

— Bon sang! Ça n'a pas traîné. Tu la connais depuis moins de deux semaines.

— Dans cette vie, peut-être, dit le jeune Bingo.

Mais elle a dans l'idée qu'on s'est rencontrés dans une existence antérieure. Elle pense que j'ai dû être un roi de Babylone à l'époque où elle était elle-même une esclave chrétienne. Je ne peux pas dire que j'en aie gardé un souvenir très clair, mais ça n'est pas impossible.

— Sapristi ! Est-ce que les serveuses s'expriment vraiment ainsi ?

— Est-ce que je sais, moi, comment elles s'expriment ?

— Tu devrais le savoir maintenant. La première fois que j'ai rencontré ton oncle, ç'a été quand tu m'as harcelé pour que je lui demande s'il voulait t'aider à épouser cette fille, Mabel, qui travaillait dans ce snack-bar de Piccadilly.

Bingo tressaillit violemment. Une folle lueur passa dans ses yeux. Et avant que je comprenne ce qui m'arrivait, il avait abattu sa main avec une force terrible sur mon pantalon d'été, ce qui me fit sauter en l'air comme un cabri.

— Holà ! protestai-je.

— Pardon, dit Bingo. L'excitation. L'enthousiasme. Tu m'as donné une idée, Bertie.

Il attendit que je finisse de me masser la cuisse, puis enchaîna :

— As-tu cet épisode bien présent à l'esprit, Bertie ? Te souviens-tu de ce plan diaboliquement subtil que j'avais concocté ? Je veux dire, ce coup de lui raconter que tu étais — comment déjà, cette femme qui écrit des bouquins ?

Je ne risquais pas de l'avoir oublié. L'horrible chose était gravée au fer rouge dans ma mémoire.

— Voilà la tactique à adopter. Voilà le plan d'attaque. Rosie M. Banks en première ligne une fois de plus.

— Impossible, vieux. Désolé, mais c'est hors de question. Je n'aurais pas la force de subir à nouveau ce supplice.

— Même pas pour moi ?

— Même pas pour douze comme toi.

— Je n'aurais jamais cru, dit Bingo d'un air attristé, que j'entendrais ces mots dans la bouche de Bertie Wooster !

— Eh bien, tu les as entendus. Fais-en une boulette et avale-la.

— Bertie, nous étions à l'école ensemble.

— Ce n'était pas ma faute.

— Ça fait quinze ans qu'on est copains.

— Je sais. Je vais passer le reste de ma vie à essayer de m'en remettre.

— Mon vieux Bertie, dit Bingo en rapprochant sa chaise et en commençant à me pétrir l'omoplate, écoute ! Sois raisonnable !

Et, bien entendu, sacré nom d'une pipe, au bout de dix minutes le chenapan m'avait emberlificoté. C'est toujours la même chose. N'importe qui peut m'entortiller. Si j'étais à la Trappe, je suis sûr que dès le premier jour un petit malin m'entraînerait malgré moi dans quelque effroyable idiotie au moyen du langage des sourds-muets.

— Bon, qu'est-ce que tu attends de moi ? demandai-je, comprenant qu'il était vain de lutter.

— Commence par envoyer au vieux un exemplaire signé de ton dernier ouvrage, avec une dédicace flatteuse. Il ne se sentira plus de joie. Tu n'auras plus ensuite qu'à aller lui causer.

— Et c'est quoi, mon dernier ouvrage ?

— *Seule contre tous*, dit le jeune Bingo. On ne voit que ça partout. Les devantures des librairies et les

kiosques en sont pleins. Il me semble, d'après l'illus-
tration de couverture, que c'est le genre de livre que
n'importe qui serait fier d'avoir écrit. Naturellement,
il voudra en discuter avec toi.

— Ha! fis-je en reprenant espoir. Ça fiche tout par
terre, non? J'ignore totalement de quoi ce fichu bouquin peut bien parler.

— Il faudra que tu le lises, évidemment.

— Que je le lise! Mais enfin…

— Bertie, nous étions à l'école ensemble.

— Oh! d'accord! D'aac-cord!

— Je savais que je pouvais compter sur toi. Tu as un
cœur d'or. Jeeves — ajouta le jeune Bingo comme le
fidèle serviteur entrait dans la pièce —, monsieur
Wooster a un cœur d'or.

— Très bien, Monsieur, dit Jeeves.

Si l'on excepte un coup d'œil occasionnel à des
magazines comiques ou des journaux hippiques, la
lecture n'est pas mon fort, et mes souffrances, tandis
que je me débattais avec *Seule* (bien fait pour elle!)
contre tous, furent assez horribles. Mais j'en vins
finalement à bout, et juste à temps, d'ailleurs, car
j'avais à peine atteint ce passage où leurs lèvres se
scellent en un long, long baiser et où tout est si
tranquille qu'on n'entend que le doux murmure du
vent dans les cytises, qu'un messager m'apporta un
mot du vieux Bittlesham m'invitant à venir déjeuner.

Je m'aperçus bien vite qu'il était d'une humeur
qu'on ne pouvait qualifier que d'un mot : attendrie. Il
avait un exemplaire du livre près de lui sur la table et il
en tournait les pages dans ces instants où il ne
s'occupait pas de plats en gelée et ainsi de suite.

— Monsieur Wooster, dit-il en avalant un morceau

de truite, je voudrais vous féliciter. Je voudrais vous remercier. Ce que vous écrivez est de plus en plus poignant. J'ai lu *Tout pour l'Amour*; j'ai lu *Une simple ouvrière*; je connais *Tête de linotte* par cœur. Mais ceci... ceci est votre œuvre la plus belle et la plus forte. Elle vous touche au plus profond du cœur.

— Ah oui?

— Et comment! Je l'ai lue trois fois depuis que vous m'avez si aimablement envoyé ce volume — je vous remercie encore pour la charmante dédicace — et je crois pouvoir dire que je suis maintenant un homme meilleur, plus humain, plus sage. Je suis plein de sentiments charitables et bienveillants envers mes semblables.

— Non, vraiment?

— Mais parfaitement, parfaitement.

— Envers tous vos semblables?

— Envers tous mes semblables.

— Même le jeune Bingo? demandai-je — mettant ainsi, j'en étais conscient, la barre assez haut.

— Mon neveu? Richard?

Il hésita quelque peu, mais il se conduisit en homme et ne se déroba point.

— Oui, même envers Richard. Enfin... C'est-à-dire... peut-être... oui, même envers Richard.

— Tant mieux, parce que je voulais vous parler de lui. Il est plutôt fauché, vous savez.

— Il est dans la gêne?

— A sec. Et il aurait l'usage de quelques petits billets versés régulièrement, si vous étiez disposé à les débourser.

Il réfléchit un moment et termina une grosse tranche de pintade avant de répondre. Cependant il feuilletait le livre de l'autre main, et celui-ci s'ouvrit à

266

la page deux cent quinze. Je ne me rappelais pas ce qu'il y avait à la page deux cent quinze, mais ça devait être quelque chose d'assez piquant, car son expression changea et il leva vers moi des yeux embués, comme s'il avait pris un peu trop de moutarde avec son dernier morceau de jambon.

— Très bien, monsieur Wooster, dit-il. Mon cœur fond à la lecture de certains passages de votre noble ouvrage. Richard aura sa mensualité.

— Vous avez un cœur gros comme ça! m'exclamai-je.

Puis je me dis que cette expression pouvait paraître quelque peu tendancieuse à un type qui pesait plus de cent kilos.

— Je veux dire, c'est épatant. Ça va le soulager d'un bon poids. Il veut se marier, vous savez.

— Non, je ne savais pas. Et je ne suis pas sûr d'approuver entièrement cette idée. Qui est la jeune fille?

— Eh bien, à vrai dire, c'est une serveuse.

Il fit un bond sur sa chaise.

— Pas possible, monsieur Wooster! Ceci est remarquable. C'est très encourageant. Je n'aurais pas cru ce garçon capable d'une telle persévérance. Un excellent trait de caractère, que je n'avais pas soupçonné chez lui jusqu'à présent. Je me souviens très bien qu'en cette occasion où j'ai eu le plaisir de faire votre connaissance, il y a presque dix-huit mois, Richard désirait déjà épouser cette même serveuse.

Je dus le détromper.

— Pas tout à fait la même serveuse. En fait, c'est une serveuse complètement différente. Mais enfin, une serveuse tout de même, vous savez.

La lueur d'affection avunculaire s'éteignit dans les yeux du bonhomme.

— Hum! fit-il d'un air de doute. J'avais cru que Richard manifestait cette qualité de constance qui est si rare dans la jeunesse d'aujourd'hui. Je... il faut que je réfléchisse.

Nous en restâmes donc là, et j'allai voir Bingo pour faire le point avec lui.

— Mensualité O.K., dis-je. Bénédiction de l'oncle un rien bancale.

— Quoi, il ne veut pas entendre parler de marche nuptiale?

— Il a dit qu'il allait y réfléchir. Si j'étais un bookmaker, je me sentirais en droit de donner du 100 contre 8.

— Tu n'as pas dû t'y prendre comme il le fallait avec lui; j'aurais pu m'y attendre, à ce que tu gâches tout, dit le jeune Bingo — ce qui, après tout le mal que je m'étais donné pour lui venir en aide, me parut sensiblement plus acéré qu'une dent de serpent. C'est ennuyeux, dit-il. C'est terriblement ennuyeux. Impossible de te donner plus de détails pour le moment, mais... oui, c'est ennuyeux.

Il s'empara distraitement d'une poignée de mes cigares et fila.

Je ne le revis pas de trois jours. Le troisième jour, en début d'après-midi, il apparut tout à coup, une fleur à la boutonnière, et une drôle d'expression sur le visage, comme si on l'avait frappé sur l'occiput avec une peau d'anguille remplie de sable.

— Salut, Bertie!

— Salut, vieille courge! Où étais-tu ces temps-ci?

— Oh! ici ou là! On a un temps superbe, Bertie.

— Pas mauvais.

— Il paraît que le taux d'escompte a encore baissé.

— Non, vraiment?

— Nouvelles inquiétantes de Basse-Silésie, hein?

— Oh! zut!

Il erra un moment dans la pièce en tripotant quelques objets et en marmonnant des choses de temps à autre. Le gars paraissait vraiment sonné.

— Oh! dis donc, Bertie! s'exclama-t-il tout à coup en lâchant un vase qu'il avait pris sur la cheminée. Je me rappelle maintenant ce que je voulais te dire. Je suis marié.

18

TOUT EST BIEN...

Je le regardai, les yeux ronds. Cette fleur à la boutonnière... Cet air ahuri... Oui, tous les symptômes étaient là ; et pourtant la chose paraissait incroyable. La vérité, je suppose, c'est que j'avais vu tant de fois les aventures sentimentales du jeune Bingo démarrer en fanfare, et puis s'enliser lamentablement à mi-parcours, que je ne pouvais croire qu'il était enfin parvenu à ses fins.

— Marié !

— Oui. Ce matin, à la mairie de Holborn. J'arrive tout juste du déjeuner de noces.

Je me redressai dans mon fauteuil. L'esprit en éveil. L'homme d'action. Il me semblait qu'il fallait élucider cette affaire dans ses moindres détails.

— Sérieusement, dis-je. Tu es vraiment marié ?

— Oui.

— Avec la même fille dont tu étais amoureux avant-hier ?

— Qu'est-ce que tu insinues ?

— Tu te connais, non ? Dis-moi, qu'est-ce qui t'a poussé à commettre cet acte téméraire ?

— Bon sang ! ne parle pas comme ça. Je l'ai épousée parce que je l'aime, sapristi. La meilleure petite femme au monde.

— Tout ceci est parfait, et sacrément honorable, sans aucun doute. Mais as-tu pensé à ce que ton oncle va dire ? La dernière fois que je l'ai vu, il n'était guère d'humeur à lancer des dragées.

— Bertie, je vais être franc avec toi. La petite femme m'a mis au pied du mur, si tu vois ce que je veux dire. Je lui ai parlé de mon oncle, et elle a déclaré que si je ne l'aimais pas assez pour braver le courroux du vieux et l'épouser sur-le-champ, nous devions nous séparer. Je n'avais pas le choix. J'ai acheté une boutonnière et je me suis exécuté.

— Et qu'est-ce que tu comptes faire maintenant ?

— Oh ! j'ai tout arrangé ! Une fois que tu auras vu mon oncle et que tu lui auras annoncé la nouvelle...

— Quoi !

— Une fois que tu...

— Tu ne te figures tout de même pas que tu vas m'embringuer dans cette histoire ?

Il me regarda à la manière de Lillian Gish sortant d'un évanouissement.

— C'est Bertie Wooster qui parle ainsi, s'étonna-t-il, peiné.

— Parfaitement !

— Mon vieux Bertie, dit Bingo en me donnant de petites tapes ici et là, réfléchis ! Nous étions à l'école...

— Oh ! d'accord !

— Merci ! Je savais que je pouvais compter sur toi. Elle attend en bas dans le hall d'entrée. Allons la retrouver et filons immédiatement à Pounceby Gardens.

Je n'avais vu la nouvelle mariée qu'une fois, en tenue de serveuse, et je m'étais plus ou moins attendu à tomber sur une fille qui s'était lancée, en ce grand jour, dans certaines extravagances vestimentaires.

J'entrevis la première lueur d'espoir depuis le début de cette sombre affaire, quand je m'aperçus qu'au lieu de n'être que velours et parfum et chapeau fleuri, elle était habillée avec un sacré bon goût. Avec discrétion, sans rien de tapageur. A en juger par son apparence, elle aurait pu sortir tout droit de Berkeley Square.

— Chérie, voici mon vieux copain, Bertie Wooster, annonça Bingo. Nous étions à l'école ensemble, pas vrai, Bertie ?

— Oh ! si ! fis-je. Enchanté. Je crois que nous... euh... nous sommes rencontrés l'autre jour au déjeuner, n'est-ce pas ?

— Oh ! oui ! Enchantée.

— Mon oncle ne jure que par Bertie, expliqua Bingo. Alors il va venir avec nous pour ouvrir la voie, en quelque sorte, et préparer le terrain. Hé, taxi !

Nous parlâmes peu pendant le trajet. Ambiance assez tendue. Je respirai lorsque la voiture s'arrêta devant le tipi du vieux Bittlesham et que nous en descendîmes. Je laissai Bingo et sa femme dans le hall, montai au salon, et le maître d'hôtel alla tirer le Grand Chef de son repaire.

Tout à coup, alors que je marchais de long en large dans la pièce en l'attendant, j'aperçus ce fichu bouquin, *Seule contre tous*, sur une des tables. Il était ouvert à la page deux cent quinze, et un passage marqué au crayon gras attira mon attention. Dès que je l'eus parcouru, je compris que c'était une aubaine et qu'il allait m'aider dans ma tâche.

Voici ce qu'il disait :

> — Rien ne saurait étouffer — les yeux de Millicent lançaient des éclairs tandis qu'elle affrontait l'austère vieillard — rien ne saurait étouffer un amour absolu et pur ! Ni les princes, ni

les rois, Monsieur, ni toutes les mesquines interdictions de tuteurs ou de parents. J'aime votre fils, Lord Mindermere, et rien ne pourra nous séparer. Nous étions destinés à nous aimer de toute éternité, et qui êtes-vous pour vous opposer ainsi aux décrets de la Providence ?

Le comte lui jeta un regard pénétrant à travers ses sourcils broussailleux.

— Humph ! fit-il.

Je n'eus pas le temps de me rafraîchir la mémoire en lisant la réplique que cette dernière remarque inspirait à Millicent, car la porte s'ouvrit, et le vieux Bittlesham entra. Ravi de me voir, comme d'habitude.

— Mon cher monsieur Wooster, quelle heureuse surprise ! Je vous en prie, asseyez-vous. En quoi puis-je vous être utile ?

— Eh bien, à vrai dire, je suis plutôt venu en qualité d'ambassadeur aujourd'hui. Représentant le jeune Bingo, vous savez.

Sa cordialité, me sembla-t-il, fléchit un tantinet, mais comme il ne me flanquait pas dehors, je poursuivis :

— J'ai toujours pensé qu'il était drôlement difficile pour qui que ce soit d'étouffer ce qu'on pourrait appeler un amour absolu et pur. Je veux dire, est-ce seulement possible ? J'en doute fort.

Mes yeux ne lançaient pas vraiment des éclairs tandis que j'affrontais l'austère vieillard, mais je jouais vaguement des sourcils. Il se racla la gorge, l'air indécis.

— Nous avons discuté de tout ceci lors de notre dernière entrevue, monsieur Wooster. Et je vous ai dit...

— Oui. Mais depuis, il y a eu en quelque sorte du

nouveau. Pour tout dire — ajoutai-je en venant au fait —, ce matin le jeune Bingo s'est passé la corde au cou.

— Bonté divine! s'écria-t-il en sautant sur ses pieds, la mâchoire tombante. Pourquoi? Où? Quelle corde?

Je vis qu'il n'était pas tout à fait sur la bonne longueur d'onde.

— Je parlais métaphoriquement, si c'est bien là le mot que je cherche, expliquai-je. Je veux dire qu'il s'est marié.

— Marié?

— Absolument. J'espère que vous ne serez pas fâché, hein? La jeunesse, vous savez. Deux cœurs qui s'aiment, et tout ça.

Il haletait, l'expression passablement agitée.

— Cette nouvelle m'affecte au plus haut point. Je... je considère qu'on m'a... euh... défié. Oui, défié.

— Mais qui êtes-vous pour vous opposer ainsi aux décrets de la Providence? dis-je en coulant un regard vers le livret du souffleur.

— Hein?

— Voyez-vous, ils étaient destinés à s'aimer. De toute éternité, vous savez.

Je reconnais que s'il avait répondu « Humph! », j'aurais été coincé. Heureusement, ça ne lui vint pas à l'esprit. Il y eut un silence, et il parut réfléchir un peu. Puis son regard tomba sur le livre, et il tressaillit.

— Mais, mon Dieu, monsieur Wooster, vous vous citiez vous-même!

— Plus ou moins.

— Je me disais aussi que vos paroles me rappelaient quelque chose.

Son attitude changea du tout au tout et il fit entendre une sorte de gloussement.

274

— Mon Dieu, vous connaissez le défaut de ma cuirasse!

Il prit le livre et s'absorba dans sa lecture pendant un bon moment. Je commençai à me demander s'il ne m'avait pas oublié. Cependant il finit par le reposer, et s'essuyant les yeux, il soupira :

— Oh! très bien.

J'attendis, nerveux, mais plein d'espoir.

— Oh! très bien, répéta-t-il. Je ne dois pas me conduire comme Lord Mindermere, n'est-ce pas, monsieur Wooster? Dites-moi, vous êtes-vous inspiré, pour peindre ce vieillard arrogant, d'une personne réelle?

— Oh! non! Je l'ai juste imaginé et balancé sur le papier, vous savez.

— Un génie! murmura le vieux Bittlesham. Un génie! Eh bien, monsieur Wooster, vous m'avez gagné à votre cause. Qui suis-je, comme vous le dites si bien, pour m'opposer aux décrets de la Providence? Je vais écrire à Richard ce soir même pour lui dire que je consens à son mariage.

— Vous pouvez lui annoncer l'heureuse nouvelle de vive voix, dis-je. Le jeune couple au complet attend en bas. Je descends et je vous les envoie. Salut, et merci mille fois. Bingo va être rudement content.

Je filai comme un zèbre au rez-de-chaussée. Bingo et Madame étaient assis sur des chaises, tels des patients dans la salle d'attente d'un dentiste.

— Alors? fit impatiemment Bingo.

— Il ne manque plus que la poignée de main finale, répondis-je en donnant au vieux loustic une grande claque dans le dos. Dépêche-toi de monter te réconcilier avec lui. Tchao! vieux! Tu sais où me trouver en cas de besoin. Mes plus vives félicitations, et toutes ces balivernes.

Et je m'esquivai, ne souhaitant pas qu'on inonde de salive le revers de mon veston.

De quoi peut-on être sûr en ce monde ? Si jamais, pensais-je, une entreprise rondement menée avait mérité une bonne soirée de repos, c'était bien ce jour-là, lorsque, de retour au bercail, j'allongeai mes pieds sur la tablette de cheminée, et me disposai à absorber la tasse de thé que Jeeves m'avait apportée. Aussi habitué que je sois à voir les Favoris de l'Existence s'effondrer dans la dernière ligne droite et finir à la traîne, je ne discernais, dans cette affaire du jeune Bingo, vraiment aucune raison de m'inquiéter. Tout ce qu'il avait eu à faire, quand je l'avais quitté à Pounceby Gardens, ç'avait été de monter à l'étage avec sa petite femme pour recueillir la bénédiction de l'oncle. J'en étais si convaincu que lorsque, environ une demi-heure plus tard, il entra au galop dans mon salon, je crus simplement qu'il désirait me remercier d'une voix brisée par l'émotion et me dire quel ami formidable j'avais été. J'adressai donc à l'animal un large et bienveillant sourire, et je m'apprêtais à lui offrir une cigarette, quand je remarquai qu'il semblait préoccupé. En fait, il avait l'air de quelqu'un qui vient de recevoir un bon coup dans le plexus solaire.

— Mon vieux Bingo, dis-je, qu'est-ce qui se passe ?

Il se mit à arpenter la pièce à grandes enjambées.

— Il *faut* que je reste calme ! répétait-il en se cognant aux meubles. Calme, bon Dieu ! ajouta-t-il en renversant une chaise.

— Ne me dis pas que quelque chose est allé de travers ?

Bingo ricana amèrement.

— Sapristi, *tout* est allé de travers ! Qu'est-ce que tu

crois qui est arrivé après que tu nous as quittés ? Tu te rappelles ce sacré bouquin que tu avais tenu à envoyer à mon oncle ?

Ce n'est certes pas ainsi que j'aurais exprimé la chose, mais je voyais que le pauvre vieux était, pour une raison ou pour une autre, profondément affecté, aussi ne relevai-je point le propos.

— *Seule contre tous* ? dis-je. Il nous a été rudement utile. C'est en citant certaines phrases du livre que j'ai réussi à le convaincre.

— Eh bien, il n'a pas été utile du tout quand on est entrés dans la pièce. Il était posé sur la table, et au bout d'un moment, alors qu'on avait commencé à bavarder un peu et que tout marchait à merveille, ma petite femme l'a aperçu. « Oh ! avez-vous lu ceci, Lord Bittlesham ? » a-t-elle demandé. « Trois fois déjà », a répondu mon oncle. « J'en suis si heureuse », a dit ma femme. « Êtes-vous donc aussi une admiratrice de Rosie M. Banks ? » a demandé le vieux, ravi. « Rosie M. Banks, c'est moi », a dit ma femme.

— Oh ! mes aïeux ! c'est vrai ?

— Oui.

— Mais comment est-ce possible ? Je veux dire, bon sang, elle servait la boustifaille au *Senior Liberal Club* !

Bingo donna au canapé un coup de pied vengeur.

— Elle avait pris ce travail pour se documenter. Elle écrit un livre intitulé *Mervyn Keene et son Club*.

— Elle aurait pu t'en parler.

— Elle a été tellement touchée de voir que je l'aimais pour elle-même, sans m'arrêter à son humble rang social, qu'elle a gardé ça pour elle. Elle m'a dit qu'elle avait eu l'intention de me faire la surprise plus tard.

— Bon, qu'est-ce qui s'est passé ensuite?

— Il y a eu une scène plutôt pénible. Le vieux a failli avoir une apoplexie. Il l'a accusée d'imposture. Ils se sont alors mis à crier tous les deux à tue-tête, et pour finir ma femme a filé chez son éditeur afin de réunir les preuves qui lui permettront d'exiger des excuses écrites. Ce qui va se passer maintenant, je l'ignore. Outre le fait que mon oncle sera furieux quand il s'apercevra qu'il a été mené en bateau, ça risque de barder salement quand la petite femme découvrira qu'on avait monté cette combine avec ses livres pour que je puisse me marier avec une autre. Tu vois, une des choses qui l'ont séduite en moi, c'est le fait que je n'avais encore jamais été amoureux.

— Tu lui as dit ça?

— Oui.

— Saperlipopette!

— Bah, je ne l'avais pas été... enfin, pas vraiment. Il y a un abîme entre... Mais peu importe. La vraie question, c'est: qu'est-ce que je vais faire?

— Je n'en sais rien.

— Merci, dit le jeune Bingo. Voilà qui m'est d'un grand secours.

Il me téléphona le lendemain matin, juste après que j'eus incorporé les œufs et le bacon à mon organisme — c'est-à-dire à ce moment de la journée où un individu aime méditer sur la vie dans le calme le plus absolu.

— Bertie!

— Oui?

— Ça sent le roussi.

— Qu'est-ce qu'il y a encore?

— Mon oncle a jeté un coup d'œil sur les preuves

que lui a montrées ma femme, et a reconnu qu'elle avait raison. Il vient de m'enguirlander pendant cinq minutes au téléphone. Il dit que toi et moi nous nous sommes moqués de lui, et il pouvait à peine parler, tellement il était en rogne. Mais il m'a quand même bien fait comprendre qu'il me coupait encore une fois les vivres.

— J'en suis désolé.

— Ne perds pas ton temps à être désolé pour moi, riposta lugubrement le jeune Bingo. Il va venir chez toi aujourd'hui pour exiger des explications.

— Bon sang!

— Et ma femme va venir chez toi pour exiger des explications.

— Vingt dieux!

— Je suivrai le déroulement de ta carrière avec énormément d'intérêt, lança le jeune Bingo.

Je beuglai :

— Jeeves!

— Monsieur?

— Je suis dans le pétrin.

— Vraiment, Monsieur?

J'exposai l'affaire dans ses grandes lignes.

— Que me conseilleriez-vous?

— Je pense qu'à la place de Monsieur, j'accepterais l'invitation de M. Pitt-Waley immédiatement. Si Monsieur se souvient, il a invité Monsieur à chasser avec lui dans le Norfolk cette semaine.

— En effet! Sapristi, Jeeves, vous avez toujours raison. Rejoignez-moi à la gare avec mes bagages après le déjeuner; je prendrai le premier train de l'après-midi. Je vais passer discrètement le reste de la matinée à mon club.

— Monsieur désire-t-il que je l'accompagne?

— Voulez-vous venir?

— Si je puis faire cette suggestion, Monsieur, je pense qu'il serait préférable que je ne bouge pas d'ici et reste en contact avec M. Little. Je trouverai peut-être le moyen de ramener le calme parmi les diverses personnes en cause.

— D'accord! Mais vous êtes un champion si vous y parvenez.

Ma visite dans le Norfolk ne fut pas une réussite. Il plut la plupart du temps, et quand il ne pleuvait pas, j'étais si sacrément nerveux que je ratais tous mes coups de fusil. Vers la fin de la semaine, je ne pus le supporter plus longtemps. Après tout, c'était vraiment trop absurde de se retrouver isolé en pleine cambrousse, rien que parce que l'oncle et la femme du jeune Bingo avaient deux mots à me dire. Je résolus de rentrer à Londres et de me conduire en homme responsable — en restant planqué chez moi et en recommandant à Jeeves de répondre à quiconque viendrait me voir que je n'y étais pas.

J'envoyai à Jeeves un télégramme l'avertissant de mon retour, et me rendis directement chez Bingo en arrivant en ville. Je voulais savoir s'il y avait du nouveau. Mais apparemment il était sorti. Je sonnai deux ou trois fois, sans résultat, et j'allais m'éloigner, lorsque j'entendis un bruit de pas à l'intérieur, et la porte s'ouvrit. Ce ne fut pas le moment le plus joyeux de ma carrière : car je m'aperçus que j'avais en face de moi le visage lunaire de Lord Bittlesham.

— Oh!... euh... bonjour! dis-je.

Il y eut comme un silence.

Je ne sais pas au juste ce que je m'étais imaginé que le bonhomme ferait si, par malchance, nous nous rencontrions à nouveau, mais j'avais plus ou moins supposé qu'il deviendrait passablement cramoisi et se mettrait presque aussitôt à m'invectiver. Aussi trouvai-je assez bizarre qu'il se contente de sourire faiblement — d'une sorte de sourire figé. Ses yeux étaient exorbités, et il avala une ou deux fois sa salive.

— Euh... fit-il.

J'attendis la suite, mais apparemment il n'y avait pas de suite.

— Bingo est là? demandai-je après un silence assez embarrassant.

Il secoua la tête et sourit à nouveau. Et puis, tout à coup, comme la conversation commençait à languir une fois de plus — je veux être pendu s'il ne fit pas une sorte de bond pesant en arrière tout en claquant la porte de l'appartement.

Je n'y comprenais rien. Mais, puisqu'il semblait que l'entrevue, ou ce qui en avait tenu lieu, était terminée, je me dis que je n'avais plus qu'à lever l'ancre. Je venais de m'engager dans l'escalier, lorsque je rencontrai le jeune Bingo, qui montait quatre à quatre.

— Salut, Bertie! dit-il. D'où sors-tu? Je croyais que tu étais à la campagne?

— Je viens de rentrer. Je suis passé te voir pour faire le point de la situation.

— Quelle situation?

— Mais toute cette histoire, tu sais bien.

— Oh! ça! dit le jeune Bingo avec désinvolture. Il y a plusieurs jours que tout cela est réglé. La colombe de la paix étend ses ailes au-dessus de nos têtes. Tout va aussi bien que possible. Jeeves a tout arrangé. Cet homme est une perle, Bertie, je l'ai toujours dit. Il a tout remis en ordre en moins d'une minute grâce à une de ses brillantes idées.

— Mais c'est formidable !

— Je savais que tu serais content.

— Félicitations.

— Merci.

— Comment Jeeves s'y est-il pris ? Pour ma part, je ne voyais aucune solution à cette fichue affaire.

— Oh ! il a pris les choses en main et aplani la difficulté en une seconde ! Maintenant mon oncle et ma petite femme sont les meilleurs amis du monde. Ils papotent des heures durant de littérature et de trucs de ce genre. Il vient sans arrêt bavarder avec elle.

Ça me rappela, etc.

— Il est chez toi maintenant. Dis donc, Bingo, est-ce que ton oncle se porte *bien* ces jours-ci ?

— A peu près comme d'habitude. Pourquoi ?

— Je veux dire, il n'est pas un peu éprouvé nerveusement, par hasard ? Son attitude à l'instant m'a paru quelque peu étrange.

— Tiens, tu l'as rencontré ?

— Il a ouvert la porte quand j'ai sonné, et puis, après m'avoir dévisagé un moment, il me l'a claquée au nez. Ça m'a un tantinet surpris, tu sais. Je veux dire, j'aurais compris s'il m'avait passé un savon et tout, mais bon sang, le bonhomme avait l'air terrorisé.

Le jeune Bingo se mit à rire avec insouciance.

— Oh ! ce n'est rien ! dit-il. J'ai oublié de t'en parler. Je voulais t'écrire, mais je remettais toujours à plus tard. Il croit que tu es cinoque.

— Il… quoi !

— Oui. C'était l'idée de Jeeves, tu sais. Ça a magnifiquement résolu le problème. Il a suggéré que je dise à mon oncle que j'avais agi en toute bonne foi en lui racontant que tu étais Rosie M. Banks ; que je t'avais entendu l'affirmer à maintes reprises, et que je n'avais aucune raison de ne pas le croire. L'idée générale étant que tu souffrais d'hallucinations et qu'il te manquait une case ou deux. Et alors on a mis le grappin sur Sir Roderick Glossop — tu te rappelles, le vieux dont tu as poussé le fils dans le lac un jour au manoir de Ditteredge —, et il a apporté de l'eau à notre moulin en racontant comment il était allé déjeuner chez toi et avait trouvé ta chambre remplie de chats et de poissons, et comment tu lui avais piqué son chapeau en passant près de sa voiture en taxi et ainsi de suite. Ça a achevé de convaincre mon oncle. J'ai toujours dit, et je dirai toujours, qu'il te suffit de t'en remettre à Jeeves pour être à l'abri des coups du destin.

Je suis patient, mais il y a des limites.

— Ça alors! Un pareil toupet, c'est inouï, nom d'un...

Bingo me regarda, stupéfait.

— Tu n'es pas *contrarié*?

— Contrarié! De savoir que la moitié des habitants de cette ville vont croire que j'ai perdu la boule? Bon sang...

— Bertie, dit Bingo, je suis surpris et peiné. Si j'avais su que tu répugnerais à rendre un insignifiant petit service à un gars qui est ton copain depuis quinze ans...

— Oui, mais enfin...

— As-tu oublié, ajouta le jeune Bingo, que nous étions à l'école ensemble?

Je regagnai le vieil appartement, furibond. Une chose au moins était sûre : le moment était venu pour Jeeves et moi de nous séparer. C'était certes un valet formidable, le meilleur de Londres, mais je n'allais pas laisser cette considération ébranler ma résolution. Je m'engouffrai dans l'appartement comme un vent d'est... et voilà : le coffret à cigarettes était sur la petite table, les hebdomadaires illustrés sur la grande, mes pantoufles à leur place, bref, tout était si fichtrement impeccable, si vous voyez ce que je veux dire, que je me calmai dans les deux premières secondes. C'était un peu comme au théâtre, quand le héros, au moment où il va s'enfoncer dans le crime, entend soudain les accents doux et émouvants de la vieille mélodie qu'il avait apprise sur les genoux de sa mère. Radouci, je veux dire. Voilà le mot que je cherchais. J'étais radouci.

C'est alors que ce brave Jeeves apparut dans l'embrasure de la porte, dans le sillage d'un plateau garni des ingrédients nécessaires à un bon remontant, et à cette seule vue...

Cependant je m'armai de courage et tentai d'exprimer ce que j'avais sur le cœur.

— Je viens de rencontrer M. Little, Jeeves.

— Vraiment, Monsieur?

— Il... euh... il m'a dit que vous l'aviez aidé.

— J'ai fait de mon mieux, Monsieur. Et je suis heureux de pouvoir dire que tout semble maintenant se passer d'une façon harmonieuse. Whisky, Monsieur?

— Merci. Euh... Jeeves...

— Monsieur?

— Une autre fois...

— Monsieur?

— Oh! rien. Pas trop de soda, Jeeves.

— Très bien, Monsieur.

Il se mit à dériver vers la porte.

— Oh! Jeeves!

— Monsieur?

— J'aimerais... c'est-à-dire... je pense... je veux dire... Oh! rien!

— Très bien, Monsieur. Les cigarettes sont à droite de Monsieur. Le dîner sera prêt à huit heures moins le quart exactement, à moins que Monsieur ne compte sortir?

— Non. Je vais dîner ici.

— Bien, Monsieur.

— Jeeves!

— Monsieur?

— Oh! rien! dis-je.

— Très bien, Monsieur, dit Jeeves.

TABLE

ACHEVÉ D'IMPRIMER SUR LES PRESSES
DE COX & WYMAN LTD. (ANGLETERRE)

N° d'édition : 2204
Dépôt légal : octobre 1992
Nouveau tirage : novembre 1993
Imprimé en Angleterre